A. A. Milne : *La maison de l'ours Winnie*
Jules Renard : *Poil de Carotte*
Loïc du Rostu : *Kerlouan, marin du roi*, tomes 1, 2
Michel Tournier : *Vendredi ou la vie sauvage*
Henri Troyat, de l'Académie française : *La neige en deuil*
Kenneth Ulyatt : *Phillips le Portugais*, tome 1
Jean Webster : *Papa-Longues-Jambes*

La série **La petite maison dans la Prairie** *constitue
les souvenirs authentiques de Laura, tels qu'elle les a racontés
bien des années plus tard. Ces souvenirs décrivent la vie
de pionnier de la famille Ingalls dans la Jeune Amérique
de la période 1870-1890.*

La petite maison dans la Prairie

Tome 7 Ces heureuses années

Titre de l'ouvrage original .
THESE HAPPY GOLDEN YEARS
Editeur original :
Harper & Row, Publishers

Pour la traduction française :
© Flammarion, 1979
ISBN 2-08-091709-9
Printed in France

Laura Ingalls Wilder

La petite maison dans la Prairie

Tome 7 **Ces heureuses années**

Illustrations de Garth Williams

Traduit de l'américain
par Marie-Agnès Jeanmaire

Texte intégral

éditions
du chat perché
FLAMMARION

CHAPITRE 1

LAURA QUITTE LA MAISON

La prairie couverte de neige étincelait au soleil, par ce clair dimanche après-midi. Un petit vent, venu du sud, soufflait doucement; mais il faisait si froid que les patins du traîneau crissaient en glissant sur l'épaisse couche de neige durcie. Les sabots des chevaux rendaient un son mat, clop, clop, clop. Père ne disait mot.

Assise à ses côtés, sur la planche posée en travers du traîneau, Laura gardait le silence elle aussi; il n'y avait rien à dire — elle était en route pour prendre son poste d'institutrice.

9

Hier encore, elle n'était qu'une écolière, et voilà qu'elle était désormais maîtresse d'école. Tout cela était arrivé si soudainement! Laura ne pouvait guère s'empêcher de penser que demain, comme à l'accoutumée, elle irait à l'école avec sa petite sœur Carrie et s'assiérait à sa place, à côté d'Ida Brown. Mais demain, elle ferait la classe.

Elle ne savait pas très bien comment elle allait s'y prendre. Jamais encore elle n'avait enseigné, et elle n'avait pas seize ans! Elle n'était pas grande, même pour une jeune fille de quinze ans, et aujourd'hui, elle se sentait toute petite.

Le paysage enneigé, doucement vallonné, s'étendait, dénué de végétation, tout alentour. Rien ne troublait le haut ciel clair. Bien qu'elle ne regardât pas en arrière, Laura savait que la ville était à présent à des kilomètres derrière elle. Ce n'était plus qu'une petite tache sombre sur la blanche prairie déserte. Là-bas, dans le confortable salon, Maman, Carrie et Grace se trouvaient bien loin d'elle.

Le lotissement de Brewster était encore à une bonne distance de là; vingt kilomètres le séparaient de la ville. Laura ne savait pas à quoi il ressemblait; elle n'y connaissait personne. Elle n'avait vu M. Brewster qu'une fois, lorsqu'il était venu lui proposer ce poste d'institutrice. C'était un homme mince et basané, comme n'importe quel fermier, et qui s'était montré peu bavard.

Tandis qu'il tenait les guides dans ses mains gantées, Papa demeurait assis, les yeux fixés au loin et, de temps à autre, claquait la langue pour encourager les chevaux, mais il comprenait ce que ressentait Laura. Il finit par tourner la tête vers elle et se mit à lui parler, comme pour répondre à sa hantise du lendemain :

— Alors, Laura! Te voilà institutrice; nous savions tous que tu le serais un jour, pas vrai? Même si on ne pensait pas que cela viendrait si vite.

— Tu crois que j'en suis capable, Papa? demanda Laura. Et si... et si jamais, quand ils verront comme je suis jeune, les enfants ne m'écoutaient pas...

— Bien sûr que tu en es capable, la rassura Papa. Est-ce que, jusqu'à maintenant, tu n'as pas toujours réussi tout ce que tu as essayé de faire?

— Eh bien, si, admit Laura. Mais je... je n'ai encore jamais essayé de faire la classe.

— Tu t'es toujours attelée à toutes les tâches qui se sont trouvées sur ton chemin, reprit Papa. Tu ne t'es jamais dérobée, et tu t'y es toujours tenue, jusqu'à ce que tu arrives à faire ce que tu avais décidé. La réussite, tout comme le reste, peut devenir une habitude.

Le silence régna à nouveau, rompu seulement par le crissement des patins du traîneau et le

11

clop-clop-clop des sabots des chevaux sur la neige tassée. Laura se sentait le cœur un peu plus léger. C'était vrai, elle n'avait jamais cessé de persévérer — il l'avait bien fallu. Eh bien, maintenant, il lui fallait enseigner.

— Tu te souviens de cette fois-là, au bord du ruisseau Plum, Demi-Chope? quand ta Maman et moi étions partis à la ville et qu'une tempête de neige s'était levée et que tu avais rentré tout le tas de bois à l'intérieur de la maison?

Laura se mit à rire de bon cœur; quant à Papa, son rire résonna, pareil à de grosses cloches, dans le silence glacé. C'était il y a bien longtemps déjà! Comme elle était petite, alors, et drôle! Et combien elle avait eu peur!

— Voilà comment il faut s'attaquer aux choses! Sois sûre de toi et tu ne seras jamais dépassée par les événements. Avoir confiance en soi est le seul moyen pour que les autres aient confiance en vous.

Il se tut un instant, puis ajouta :

— Il y a une chose à laquelle tu dois prendre garde.

— Laquelle, Papa? s'enquit Laura.

— Tu es si vive, ma tête de linotte, que tu as tendance à parler et à agir avant de penser. Il faut absolument, désormais, que tu penses d'abord et que tu parles ensuite. Si tu veux bien t'en souvenir, tu n'auras jamais d'ennui.

12

— Je ne l'oublierai pas, promit Laura avec sérieux.

Il faisait vraiment trop froid pour pouvoir parler plus longtemps. Relativement au chaud, à l'abri des lourdes couvertures et des courte-pointes, ils poursuivirent en silence leur route vers le sud. Le vent froid fouettait leur visage. Une légère trace de patins de traîneau s'étirait devant eux. On ne voyait rien que le sol plat, immaculé, s'étendant à l'infini, que l'immense ciel pâle et l'ombre bleue des chevaux qui masquait l'éclat de la neige.

L'haleine de Laura se figeait en un rond de givre sur son épais châle de laine noire qui, humide et glacé, ne cessait de claquer contre sa bouche et son nez et d'onduler devant ses yeux.

Elle aperçut enfin, plus avant, une maison; tout d'abord minuscule, elle devint plus importante à mesure qu'ils approchaient. Il y en avait une autre, plus petite, à huit cents mètres de là et une troisième, beaucoup plus loin. Puis une autre apparut encore. Quatre petites maisons éloignées les unes des autres sur la prairie toute blanche — c'était là tout.

Papa arrêta les chevaux. La maison de M. Brewster ressemblait à deux cabanes accolées l'une à l'autre de façon à former un toit pointu. Celui-ci, fait de papier goudronné, était à nu. De la neige fondue s'était solidifiée en longs glaçons qui pendaient des avant-toits, colonnes dégoulinantes plus larges que le tour de bras de Laura. On eût dit d'énormes dents ébréchées. Les uns mordaient la neige tandis que les autres étaient cassés. De gros morceaux de glace brisée gisaient, épars et gelés, dans la neige souillée tout autour de la porte, où l'on avait jeté des eaux grasses. Il n'y avait point de rideau à la fenêtre, pourtant de la fumée s'échappait du tuyau de poêle fixé au toit à l'aide de fil de fer.

M. Brewster ouvrit la porte. Un enfant piaillait à l'intérieur. Il éleva la voix pour se faire entendre.

— Entrez, Ingalls! Entrez vous réchauffer.

— Merci beaucoup, répondit Papa, mais il y a vingt bons kilomètres pour rentrer à la maison, il vaut mieux que je m'en aille.

Laura se glissa rapidement hors des couvertures pour ne point laisser le froid pénétrer. Papa lui tendit la sacoche que lui avait prêtée Maman, contenant ses sous-vêtements de rechange, son autre robe et ses livres de classe.

— Au revoir, Papa, lança-t-elle.

— Au revoir, Laura.

Une lueur d'encouragement passa dans ses yeux bleus, mais Laura savait que c'était un bien long trajet pour qu'il pût le faire souvent. Elle ne le reverrait pas d'ici deux mois.

Elle rentra précipitamment dans la maison.

Venant du dehors, encore aveuglée par l'éclatant soleil, il lui fut impossible de rien distinguer pendant un moment. M. Brewster fit les présentations :

— Voici Mme Brewster ; Lib, voici la maîtresse.

Debout près du fourneau, une femme à la mine renfrognée était occupée à faire revenir quelque chose dans une poêle. Un enfant, le visage sale, le nez enchifrené, pleurnichait, pendu à ses jupes.

— Bonjour, Madame, dit Laura d'un ton aussi enjoué que possible.

— Allez donc vous déshabiller dans l'autre pièce, fut la réponse de Mme Brewster. Accrochez vos vêtements derrière le rideau, là où il y a le canapé.

Puis elle tourna le dos à Laura et continua à remuer le jus dans la poêle.

Laura alla dans la seconde pièce, ne sachant que penser, certaine de n'avoir rien fait qui ait pu offenser Mme Brewster.

La cloison, placée sous la pointe de la toiture, divisait la maison en deux parties égales. De part et d'autre, les chevrons et le toit de papier goudronné descendaient en pente jusqu'aux murs bas. Un lattis colmatait comme il faut les interstices entre les planches qui constituaient les murs, mais à l'intérieur ceux-ci étaient inachevés, laissant apparaître les clous. Elle ressemblait à la maison de Papa, sur la concession, bien qu'elle fût plus petite et n'eût pas de plafond.

La seconde pièce était très froide, bien sûr. Une fenêtre donnait sur la prairie dépouillée, couverte de neige. Le canapé était adossé au mur, sous la fenêtre. Il s'agissait d'un canapé acheté dans le commerce, à dossier de bois cintré, dont l'une des extrémités était relevée et sur lequel on avait fait un lit. A chacun des bouts, contre le mur, pendaient des rideaux de calicot brun, montés sur une corde tendue au-dessus de la fenêtre, que l'on pouvait rapprocher de façon à cacher le canapé. A l'opposé, près du mur, se trouvait un lit, au pied duquel restait juste assez de place pour une commode et une malle.

Laura suspendit aux clous son manteau, son cache-col, son châle et son bonnet, derrière le rideau de calicot, et déposa la sacoche de Maman en dessous, à même le plancher. Elle resta au froid à frissonner, réticente à l'idée de regagner la pièce chauffée où se tenait Mme Brewster. Mais comme il le fallait, elle y entra.

M. Brewster était assis auprès du fourneau, tenant l'enfant sur ses genoux. Mme Brewster versait le jus dans un bol en grattant le fond de la poêle. Le couvert avait été mis, les assiettes et les couteaux négligemment posés de travers sur une nappe blanche tachée, qui elle-même était mal mise.

— Puis-je vous aider, Madame Brewster? proposa Laura courageusement.

Mme Brewster ne répondit point. D'un geste rageur elle déversa les pommes de terre dans un plat qu'elle déposa brutalement sur la table. La pendule murale se mit à ronronner, s'apprêtant à sonner. Laura vit qu'il était quatre heures moins cinq.

— A l'heure actuelle on prend le petit déjeuner si tard que nous ne faisons que deux repas par jour, expliqua M. Brewster.

— A qui la faute? J'aimerais le savoir! rétorqua violemment Mme Brewster. Comme si j' n'en faisais pas assez à me tuer au travail du matin au soir dans cette...

— Je voulais seulement dire que les jours sont si courts que...

— Alors dis c' que tu veux dire et pas autre chose!

Mme Brewster flanqua la chaise haute contre la table, se saisit de l'enfant et l'y assit durement.

— Le dîner est prêt, dit M. Brewster à Laura.

Laura prit place sur la chaise libre. M. Brewster lui fit passer les pommes de terre, le petit salé et le jus. La nourriture était bonne, mais le mutisme de Mme Brewster était si pénible à supporter que Laura avait peine à avaler.

— L'école est-elle loin d'ici? se risqua-t-elle à demander avec bonne humeur.

— A huit cents mètres environ, lui répondit M. Brewster. C'est une cabane de concession. Celui à qui ça appartenait n'a pas tenu le coup; il a abandonné pour retourner dans l'Est.

Puis il se tut, lui aussi. Le petit s'impatientait, cherchait à s'emparer de tout ce qui se trouvait sur la table. Soudain il lança son assiette en fer étamé, pleine, sur le plancher. Mme Brewster lui donna une tape sur les mains, ce qui le fit hurler. Puis sans cesser de pousser des cris perçants, il se mit à donner des coups dans le pied de la table.

Le dîner fut enfin terminé. M. Brewster décrocha le seau à lait pendu à son clou, au mur, et s'en fut à l'étable. Mme Brewster installa sur le plancher le garçonnet qui peu à peu s'arrêta de pleurer, cependant que Laura aidait à débarrasser la table. Elle alla ensuite chercher un tablier dans la sacoche de Maman, le noua par-dessus sa robe princesse de couleur marron et prit le torchon pour essuyer les assiettes, tandis que Mme Brewster les lavait.

— Quel est le nom de votre petit garçon, Madame Brewster? demanda-t-elle, avec l'espoir que celle-ci fût un peu plus aimable.

— John, répliqua-t-elle.

— C'est un bien joli nom, poursuivit Laura. Petit, on peut l'appeler Johnny et quand il sera grand, John est un nom parfait pour un homme. Est-ce que vous l'appelez Johnny, actuellement?

Mme Brewster ne donna pas de réponse. Le silence se fit de plus en plus pesant. Laura sentit ses joues devenir cramoisies et continua à essuyer les assiettes à l'aveuglette. Quand ce fut fini, Mme Brewster jeta les eaux sales au-dehors puis replaça la bassine à son clou. Elle s'assit dans la chaise à bascule et se mit à se balancer nonchalamment, pendant que Johnny rampait sous le fourneau pour faire sortir de force le chat, en le tirant par la queue. Ce dernier le griffa et il se mit à brailler, mais Mme Brewster continua à se balancer.

Laura n'osait intervenir; Johnny criait, Mme Brewster se balançait, l'air maussade; et Laura, assise sur la chaise à haut dossier, regardait la prairie au-dehors. La route coupait à travers la neige et s'éloignait, à perte de vue. Vingt kilomètres la séparaient de chez elle. Maman était en train de préparer le dîner; Carrie était rentrée de l'école; elles riaient et parlaient avec Grace; Papa arriverait bientôt, soulèverait Grace à bout de bras, comme il l'avait fait si souvent à Laura lorsqu'elle était enfant. Ils poursuivraient leur conversation autour de la

19

table; plus tard, ils s'assiéraient à la lumière de la lampe, confortablement installés avec un livre, pendant que Carrie ferait ses devoirs, puis Papa jouerait du violon.

La pièce s'assombrissait de plus en plus. Laura ne parvenait plus à distinguer la route. M. Brewster finit par rentrer avec le lait. Mme Brewster alluma alors la lampe. Elle filtra le lait puis mit la jatte de côté, cependant que M. Brewster s'asseyait et ouvrait un journal. Nul ne dit mot. Un lourd et pénible silence s'installa.

Laura ne savait que faire; il était trop tôt pour aller se coucher. Il n'y avait point d'autre journal et pas un seul livre dans la pièce, c'est alors qu'elle se rappela avoir ses livres de classe. Une fois dans la chambre obscure et glaciale, elle chercha à tâtons dans la sacoche de Maman et, au toucher, reconnut son livre d'histoire. Après l'avoir emporté dans la cuisine, elle reprit sa place auprès de la table et se remit à étudier.

« Au moins, rien ne m'empêche d'étudier », pensa-t-elle, mécontente. Elle se sentait aussi blessée, aussi chagrinée que si on l'eût frappée. Toutefois, l'esprit absorbé par sa lecture, elle oublia peu à peu où elle se trouvait. Enfin, elle entendit la pendule sonner huit heures, aussi se leva-t-elle et leur souhaita poliment une bonne nuit. Mme Brewster ne prit pas la peine de répondre, seul M. Brewster dit gentiment :

— Bonne nuit.

Dans la chambre, Laura ôta en frissonnant sa robe et ses jupons puis enfila sa chemise de nuit de flanelle. Elle se glissa sous les couvertures. sur le canapé, et tira tout autour les rideaux de calicot. Il y avait un oreiller garni de plumes, de nombreuses couvertures piquées, mais le canapé était très étroit.

Elle perçut la voix méchante et précipitée de Mme Brewster. Bien qu'elle eût remonté les couvertures sur son visage, ne laissant que le bout de son nez à l'air froid, il lui était impossible de ne pas entendre les reproches qu'adressait Mme Brewster à son mari :

— ... ça t'arrange, mais en attendant, j'ai une pensionnaire!... ce sale pays, ici! Institutrice, ah oui, vraiment!... j'en serais une, moi aussi, si j' n'avais pas épousé un...

« Cela ne lui plaît pas d'avoir à loger la maîtresse d'école, voilà tout, pensa Laura. Elle en voudrait tout autant à n'importe qui d'autre. » Elle fit de son mieux pour ne pas en entendre davantage et essayer de dormir. Mais tout au long de la nuit, durant son sommeil, elle prit garde de ne pas tomber de l'étroit canapé, songeant avec appréhension au lendemain.

CHAPITRE 2

PREMIER JOUR DE CLASSE

Laura entendit le cliquetis d'un rond de fourneau que l'on déplaçait. Un instant, elle se crut au lit avec Mary alors que Papa allumait le premier feu du matin. Puis elle aperçut le rideau de calicot et réalisa où elle se trouvait. C'était aujourd'hui qu'il lui faudrait commencer à faire classe.

M. Brewster décrocha le seau à lait et la porte claqua derrière lui. De l'autre côté du rideau, Mme Brewster sortait du lit. Johnny pleurnicha puis se tut. Laura ne bougeait toujours pas; il lui semblait qu'en demeurant tout à fait immobile, elle pourrait empêcher le jour de paraître.

M. Brewster rentra, apportant le lait. Elle l'entendit dire :

— Je vais faire un feu à l'école. Je serai de retour pour l'heure du petit déjeuner.

La porte se referma de nouveau avec bruit derrière lui. Laura repoussa tout d'un coup les couvertures. Il faisait un froid cuisant. Elle claquait des dents et fut incapable de boutonner ses bottines, tant elle avait les doigts gourds. Il faisait moins froid dans la cuisine. Mme Brewster, qui avait au préalable brisé la glace qui s'était formée dans le seau, emplissait la bouilloire d'eau. Elle répondit gentiment au bonjour de Laura qui, après avoir rempli la cuvette posée sur le banc près de la porte, se lava le visage et les mains. L'eau glacée lui picotait les joues et, tandis qu'elle se peignait devant le miroir accroché au-dessus du banc, son visage lui apparut rosé et ses joues, vermeilles.

Des tranches de porc salé étaient en train de frire, et Mme Brewster coupait des pommes de terre froides en lamelles, dans une seconde poêle sur le fourneau. Johnny s'agitait dans la chambre. Laura épingla rapidement ses nattes, noua son tablier et proposa :

— Laissez-moi m'occuper des pommes de terre pendant que vous l'habillez.

Ainsi, tandis que Mme Brewster amenait Johnny près du fourneau et l'apprêtait pour le petit déjeuner, Laura acheva de couper les pommes de terre, les sala, les poivra et les couvrit. Elle retourna ensuite les tranches de viande avant de mettre soigneusement le couvert.

— Je suis contente que Maman m'ait dit d'emporter ce grand tablier, remarqua Laura. J'aime les grands tabliers qui protègent bien la robe, vous n'êtes pas de mon avis?

Mme Brewster ne répondit pas. Le fourneau était à présent rougeoyant et la pièce partout bien chaude, pourtant elle gardait un aspect triste. Personne ne parla au cours du petit déjeuner, si ce n'est pour dire le strict nécessaire.

Ce fut un soulagement pour Laura que de revêtir ses vêtements d'extérieur, prendre ses livres, son récipient et quitter cette maison. Puis, à travers la neige, elle entreprit les quelque huit cents mètres qui la séparaient de l'école. A l'exception des empreintes de pas de M. Brewster, trop espacées pour que Laura pût y marcher, le chemin était vierge.

Comme elle avançait en trébuchant, enfonçant dans la neige profonde, elle se prit à rire tout fort. « Eh bien! pensa-t-elle, voilà où j'en suis. J'ai peur de continuer, et pourtant, je ne voudrais pas retourner en arrière. Faire l'école est certainement moins pénible que de rester dans cette maison avec Mme Brewster; en tout cas, ça ne peut pas être pire! »

Puis elle se sentit prise d'une telle panique qu'elle dit à voix haute :

— IL FAUT que j'y aille.

Une fumée de charbon, noire, issue du tuyau de poêle du vieux baraquement, montait dans le ciel matinal. Deux autres traces de pas conduisaient à la porte; Laura entendit des voix à l'intérieur. Elle rassembla son courage durant un court moment, ouvrit la porte et entra.

Les murs faits de planches n'avaient pas été recouverts de lattis, si bien que des coulées de soleil ruisselaient à travers les fentes, zébraient de lumière les six pupitres de fortune qui, placés les uns derrière les autres, occupaient le milieu de la salle de classe. Plus loin, un rectangle de planches avait été cloué sur le mur opposé et peint en noir, en guise de tableau.

Devant la rangée de pupitres se trouvait un gros poêle, dont le dessus et les côtés ventrus avaient pris une couleur rouge cerise sous l'effet de la chaleur des flammes. Les futurs élèves de Laura attendaient debout, formant cercle autour du poêle. Ils étaient cinq en tout; deux des garçons et l'une des filles étaient plus grands qu'elle.

Elle parvint à prononcer un :

— Bonjour.

Tous lui répondirent, sans la quitter des yeux. Un carré de lumière pénétrait par une petite fenêtre située près de la porte. Au-delà, dans l'angle, près du poêle, se dressaient une petite table et une chaise.

« C'est le bureau de la maîtresse », pensa Laura, puis soudain, « Oh, mon Dieu! c'est moi la maîtresse ».

Ses pas résonnèrent; tous les regards la suivirent. Elle déposa ses livres et son récipient sur la table, puis ôta son manteau et sa capuche qu'elle suspendit à un clou fixé au mur, près de la chaise. Il y avait une petite pendule sur la table; les aiguilles indiquaient neuf heures moins cinq.

Il lui fallait, d'une façon ou d'une autre, vivre ces cinq minutes, avant de pouvoir commencer la classe.

Elle enleva lentement ses moufles et les mit dans la poche de son manteau. Puis elle affronta tous les regards et se dirigea vers le fourneau, présentant ses mains ouvertes à la chaleur du feu, comme pour se réchauffer. Tous les élèves, sans la quitter des yeux, s'écartèrent pour la laisser passer. Il fallait qu'elle dise quelque chose, il le fallait.

— Il fait froid ce matin, s'entendit-elle prononcer, vous ne trouvez pas? Puis elle ajouta, sans attendre leur réponse : Pensez-vous que vous aurez assez chaud sur les bancs éloignés du poêle?

L'un des grands répondit rapidement :

— J' me mettrai à la dernière place, c'est la plus froide.

La grande fille dit à son tour

— Charles et moi, nous devons nous asseoir sur le même banc, nous n'avons qu'un livre par matière pour les deux.

— C'est bien, ainsi vous pourrez tous vous

asseoir plus près du fourneau, conclut Laura.

A sa grande et heureuse surprise, les cinq minutes étaient écoulées.

— Asseyez-vous, dit-elle, nous allons commencer.

La plus petite s'assit au premier rang, le petit garçon prit place derrière elle, puis la grande fille et Charles et enfin, l'autre grand garçon. Laura frappa de son crayon sur la table et dit :

— Il est l'heure. Je vais tout de suite prendre vos noms et dates de naissance.

La petite fille se nommait Ruby Brewster; elle avait neuf ans. Elle était brune, avec des yeux marron pétillants et se montrait aussi douce et silencieuse qu'une petite souris. Laura était certaine qu'elle serait sage et gentille. Elle avait terminé l'apprentissage du premier livre de lecture et, en arithmétique, commençait à apprendre les soustractions.

Le petit garçon, Tommy Brewster, était son frère. Il était âgé de onze ans, avait fini le second livre de lecture et en était aux premières divisions.

Les deux élèves, assis côte à côte, s'appelaient Charles et Martha Harrison. Charles avait dix-sept ans; il était mince, pâle et s'exprimait avec lenteur. Martha en avait seize; elle était plus vive et parlait pour les deux.

Le dernier garçon s'appelait Clarence Brewster. Il était, lui aussi, plus âgé que Laura. Ses yeux bruns étaient encore plus brillants et plus gais que ceux de sa petite sœur Ruby, et ses épais cheveux noirs étaient coiffés en bataille; prompt de paroles et de gestes, il avait une façon de s'adresser à vous qui frisait l'impertinence.

Clarence, Charles et Martha en étaient tous au quatrième livre de lecture. Ils en étaient à la seconde moitié du livre d'orthographe et, en calcul, apprenaient les fractions. En géographie, ils avaient étudié les Etats de la Nouvelle-Angleterre et savaient si bien leurs leçons que Laura les fit passer à l'étude des Etats du Moyen-Atlantique. Aucun d'eux n'avait encore appris de grammaire ou d'histoire, mais Martha avait apporté le livre de grammaire de sa mère et Clarence disposait d'un manuel d'histoire.

— Très bien, déclara Laura, vous pouvez tous commencer dès le début dans ces deux matières et échanger vos livres pour apprendre les leçons.

Après que Laura eut fait ce tour d'horizon et indiqué à chacun ce qu'il devait étudier, ce fut l'heure de la récréation. Tous enfilèrent leurs manteaux et sortirent jouer dans la neige. Laura poussa un soupir de soulagement; le premier quart de journée du premier jour était passé.

Elle organisa ensuite son emploi du temps. Avant le déjeuner, elle ferait réciter les leçons de lecture, de calcul et de grammaire ; l'après-midi, elle ferait à nouveau lecture, puis histoire, écriture et dictée. En orthographe, il y avait trois sections, car Ruby et Tommy en étaient l'un et l'autre à des stades très différents du livre.

Quinze minutes plus tard, elle frappa à la fenêtre pour faire rentrer les élèves et, jusqu'à midi, les écouta lire à voix haute, corrigeant leurs erreurs avec beaucoup de patience.

L'heure du déjeuner lui parut s'éterniser. Seule à sa table, Laura mangea son pain beurré, tandis que les autres, rassemblés autour du poêle, parlaient et plaisantaient tout en mangeant à même le récipient. Les garçons s'amusèrent ensuite à disputer des courses dans la neige, au-dehors, pendant que Martha et Ruby les regardaient par la fenêtre et que Laura demeurait assise à son bureau. Elle était institutrice à présent et devait se conduire comme telle.

L'heure était enfin écoulée ; elle frappa à nouveau du doigt à la fenêtre. Les garçons rentrèrent sans tarder, exhalant à chaque respiration un nuage glacé. Ils accrochèrent leurs manteaux et cache-nez, remuant l'air froid dont ils étaient imprégnés. La froidure et l'exercice leur avaient mis le feu aux joues.

Avec complaisance, mais lentement, Charles souleva le seau de charbon et en déversa la plus grande partie dans le poêle.

— Je l' ferai la prochaine fois! lança Clarence.

Cherchait-il à être insolent? Si oui, que pouvait-elle faire? C'était un garçon entier, costaud, plus grand et plus âgé qu'elle. Il la regarda, les yeux pétillants de malice. Laura se redressa de toute sa hauteur et donna, de son crayon, un petit coup sec sur la table.

— Reprenons, dit-elle.

Bien que ses élèves fussent peu nombreux, Laura jugea préférable de s'en tenir aux habitudes de l'école de la ville, c'est-à-dire de les faire venir réciter au bureau. Ruby était seule de sa classe, aussi devait-elle connaître chaque réponse parfaitement, car personne ne pouvait l'aider. Laura la laissa épeler les mots lentement, lui donnant la possibilité de recommencer quand elle faisait une faute; elle sut orthographier tous les mots de sa leçon. Tommy fut plus lent, mais Laura lui donna le temps de réfléchir et d'essayer, de sorte qu'il fit aussi bien que sa sœur.

Puis Martha, Charles et Clarence récitèrent à leur tour les mots qu'ils avaient eu à apprendre. Martha ne fit aucune faute, mais Charles en fit cinq et Clarence, trois. Pour la première fois, Laura allait avoir à sévir.

— Vous pouvez vous asseoir, Martha, dit-elle. Charles et Clarence, venez au tableau et copiez trois fois les mots mal orthographiés.

Charles s'avança calmement et commença à écrire ses mots. Clarence se retourna sur Laura, lui lançant un regard effronté. Il couvrit rapidement le tableau, avec six mots seulement, d'une grosse écriture informe. Puis, se tournant vers Laura, il s'écria, sans même lever le doigt pour demander la permission de parler :

— Maîtresse! le tableau est trop petit.

Il tournait la punition en dérision, défiant Laura. Durant un long et horrible moment il attendit, moqueur, tandis qu'elle le regardait droit dans les yeux. Elle dit enfin :

— Oui, Clarence, le tableau est petit, mais vous devriez effacer ce que vous avez écrit et recommencer avec plus de soin. Ecrivez moins gros, vous aurez assez de place.

Il fallait à tout prix qu'il lui obéît, car elle ne savait pas ce qu'elle serait en mesure de faire si jamais il résistait.

Le sourire toujours aux lèvres, il se retourna vers le tableau et effaça son gribouillage. Il écrivit chacun des trois mots, trois fois de suite et, en dessous, apposa sa signature avec un paraphe.

Laura vit, avec joie, qu'il était quatre heures.

— Vous pouvez ranger vos livres, dit-elle.

Et quand tous les livres furent comme il faut rangés dans les cases des pupitres, elle ajouta :

— Nous avons fini pour aujourd'hui.

Clarence décrocha son manteau, sa casquette et son cache-nez et fut le premier à franchir le seuil de la porte en criant. Tommy le suivait de près, mais tous deux attendirent à l'extérieur pendant que Laura aidait Ruby à enfiler son manteau et nouait sa capuche. Plus calmement, Charles et Martha s'emmitouflèrent avec soin pour se protéger du froid, avant de se mettre en route; ils avaient près de deux kilomètres à faire.

Laura les regarda partir à la fenêtre. Elle aperçut, à seulement huit cents mètres de là, la cabane de concession du frère de M. Brewster. De la fumée s'échappait du tuyau de cheminée et la fenêtre orientée à l'ouest reflétait la lumière du soleil couchant. Clarence et Charles se bousculaient dans la neige, tandis que le capuchon rouge de Ruby allait dodelinant derrière eux.

Si loin qu'elle pût voir de la fenêtre située à l'est, le ciel était clair.

Le baraquement de l'école n'avait aucune fenêtre d'où elle pût regarder le nord-est. Si une tempête se levait, elle ne pourrait s'en rendre compte avant qu'elle ne fût là.

Elle nettoya le tableau et balaya le sol; les interstices entre les lattes du plancher étaient si larges, qu'il n'était nul besoin d'avoir une pelle à poussière. Elle ferma le tirage du poêle, endossa son manteau, mit son châle, prit ses livres, son

33

récipient et, après avoir soigneusement fermé la porte derrière elle, reprit le chemin qu'elle avait emprunté le matin même, pour rentrer chez Mme Brewster.

Sa première journée en tant que maîtresse d'école était terminée ; elle en était fort heureuse.

CHAPITRE 3

PREMIÈRE SEMAINE

Tout en marchant à pas pesants dans la neige, Laura s'efforçait d'être sereine. Il était difficile de comprendre Mme Brewster, pensait-elle, mais elle ne devait sûrement pas être toujours de méchante humeur. La soirée ne serait peut-être pas désagréable.

Laura entra donc, les habits couverts de neige, le visage avivé par le froid, s'adressant gaiement à Mme Brewster. Mais malgré tous ses efforts, celle-ci ne fit que répondre sèchement ou même point du tout. Au cours du dîner, pas une seule parole ne fut prononcée. Le silence était si obstiné, si détestable, que Laura elle-même fut incapable de parler.

Le repas terminé, elle aida à nouveau aux travaux du ménage et, tout comme la veille, s'assit dans la pièce qui peu à peu s'assombrissait, tandis que Mme Brewster se balançait sans bruit. La maison lui manquait à tel point qu'elle en avait le cœur chaviré.

Dès que Mme Brewster eut allumé la lampe, Laura apporta ses livres de classe sur la table et décida d'apprendre plusieurs leçons avant l'heure du coucher. Elle ne voulait pas prendre de retard sur les élèves de sa classe et espérait pouvoir étudier avec assez d'ardeur afin d'oublier l'endroit où elle se trouvait.

Elle se faisait toute petite sur sa chaise, tant le silence semblait la presser de toutes parts. Mme Brewster demeurait assise à ne rien faire. M. Brewster, les yeux fixés sur le feu que l'on apercevait à travers la fente ouverte du tirage, tenait Johnny endormi sur ses genoux. La pendule sonna sept heures, puis huit heures, puis neuf heures. Alors, faisant un effort, Laura parla :

— Il se fait tard, aussi je vais vous souhaiter une bonne nuit.

Mme Brewster n'y prêta aucune attention; M. Brewster sursauta et dit : « Bonne nuit. »

Avant même que Laura, dans l'obscurité glacée, ait eu le temps de s'engouffrer dans le lit, Mme Brewster commença à chercher querelle à son mari. Laura essaya de ne pas entendre. Elle remonta les couvertures sur sa tête et pressa fortement sa joue contre l'oreiller, mais en vain. Elle comprit alors que Mme Brewster voulait qu'elle entendît.

En effet, Mme Brewster prétendait ne pas vouloir se tuer à la tâche pour une péronnelle qui se donnait des airs et n'avait rien d'autre à faire que s'attifer et s'asseoir toute la journée dans une salle de classe; elle ajouta que si M. Brewster refusait de chasser Laura de la maison, elle repartirait dans l'Est, sans lui. Elle poursuivait inlassablement sa harangue et le son de cette voix, qui se plaisait à vous blesser, donnait à Laura la nausée.

Laura ne savait que faire. Elle désirait de tout cœur rentrer à la maison, mais il ne fallait même pas qu'elle songeât à son foyer, sans quoi elle risquerait de pleurer; elle devait plutôt penser à ce qu'il fallait faire. Il n'y avait aucun autre endroit où habiter; les deux autres maisons du lotissement n'étaient que des cabanes de concession. Chez les Harrison, ils logeaient à quatre dans l'unique pièce, et chez le frère de M. Brewster, à cinq. Il était impossible qu'ils pussent faire de la place pour Laura.

Elle ne pensait vraiment pas donner de surcroît de travail à Mme Brewster. Elle faisait elle-même son lit et aidait à la cuisine. Mme Brewster s'en prenait maintenant à la platitude du pays, au vent et au froid; elle voulait retourner dans l'Est. Laura comprit soudain; « Ce n'est pas à MOI qu'elle en veut. Je ne suis pour elle qu'un prétexte qui lui permet de soulever des disputes. Ce n'est qu'une femme égoïste et mesquine. »

M. Brewster ne disait mot. Laura songea, résignée : « Je n'ai rien d'autre à faire qu'à supporter ça, moi aussi. Je ne peux aller nulle part ailleurs. »

A son réveil, le lendemain matin, Laura se dit intérieurement : « Il faut que je vive au jour le jour et comme cela, ça ira. »

Il était dur de rester dans une maison où elle se sentait indésirable. Elle prit soin de ne donner aucun mal à Mme Brewster et de l'aider le plus possible. Elle dit poliment bonjour, avec le sourire, mais ne put le garder. Elle réalisait, pour la première fois, qu'il fallait être deux pour faire un sourire. Elle s'effrayait de la seconde journée de classe, mais celle-ci se déroula sans difficulté. Clarence resta les bras croisés au lieu d'étudier, et Laura eut peur d'avoir à le punir une fois encore, mais il sut ses leçons. Peut-être n'aurait-elle pas d'ennuis avec lui.

Il était curieux qu'elle fût si fatiguée à quatre heures. Le second jour de classe était passé, et demain, à midi, la première moitié de la semaine serait écoulée.

Laura demeura soudain clouée sur place, sur le chemin enneigé, le souffle coupé. Elle venait de songer au samedi et au dimanche — deux jours entiers à passer dans cette maison avec Mᵐᵉ Brewster! Elle s'entendit dire à voix haute :

— Oh, Papa! je ne pourrai pas.

Elle eut honte de geindre ainsi, mais personne d'autre n'avait entendu; tout autour d'elle, la prairie s'étendait déserte, blanche et silencieuse, à perte de vue. Elle eût préféré rester là, dans le froid, que de rentrer dans cette misérable maison ou que d'avoir à retourner le lendemain dans cette école, le cœur saisi d'angoisse. Mais le soleil se couchait, demain il se lèverait; toute chose devait suivre son cours.

Cette nuit-là, elle rêva de nouveau qu'elle était perdue au cœur d'une tourmente de neige. Ce cauchemar lui était familier, elle l'avait fait plusieurs fois, depuis le jour où elle avait été réellement perdue avec Carrie dans la tempête. Mais celle-ci était plus violente que les précédentes. Cette fois, la neige cinglante et les brusques coups de vent s'acharnaient à la faire tomber, elle et Carrie, de l'étroit canapé. Pendant un long moment Laura s'agrippa de toutes ses forces à Carrie, puis, soudain, celle-ci avait disparu, emportée par la tempête. Laura, saisie d'horreur, sentit son cœur cesser de battre; elle ne pouvait plus avancer, elle était sans force; elle sombra, sombra plus profondément dans le noir. Puis Papa arriva, sur son traîneau, en provenance de la ville. Il cria à Laura : « Que dirais-tu de rentrer à la maison pour samedi, ma petite Pinte? » Maman, Mary et Grace ne pouvaient se remettre de leur surprise! Mary s'écria gaiement : « Oh, Laura! », Maman souriait, rayonnante; Carrie se dépêchait d'aider Laura à enlever ses vêtements et Grace sautait de joie en battant des mains. « Charles, comment ne nous avais-tu rien dit! », s'exclamait Maman, et Papa de répondre : « Voyons, Caroline, j'avais dit que j'irais faire un petit chargement. Laura est petite, que je sache. » Et Laura se souvenait comment, au cours du dîner, Papa avait bu son thé, poussé sa tasse de côté et déclaré : « Je crois que je vais aller faire un petit chargement, cet après-midi. » Laura n'était jamais partie de la maison; elle était là.

Elle se réveilla; elle était chez les Brewster et c'était mercredi matin. Son rêve avait été si semblable à la réalité qu'elle y croyait presque encore. Il se pourrait bien que Papa vînt la chercher, samedi; cela lui ressemblait tellement de projeter pareille surprise.

Il y avait eu une rafale de neige durant la nuit. Laura dut, à nouveau, faire son chemin jusqu'à l'école. Sur des kilomètres de neige vierge, les premiers rayons du soleil posaient leur lumière d'un rose ténu, et chaque petite ombre était à peine bleutée. Comme elle avançait péniblement, enfonçant dans les amoncellements de neige poudreuse, Laura aperçut Clarence qui, suivi de Tommy et Ruby, ouvrait pour eux un passage. Trébuchant, ils arrivèrent tous à la porte en même temps.

La petite Ruby était couverte de neige des pieds à la tête, sa capuche et ses nattes étaient elles-mêmes toutes blanches. Laura la brossa et lui conseilla de garder son manteau jusqu'à ce qu'il fît plus chaud. Clarence remit du charbon dans le feu tandis que Laura secouait ses propres vêtements et balayait la neige dans les fentes du plancher. Le soleil qui pénétrait à flots par la fenêtre donnait à la pièce une impression de chaleur, mais il y faisait plus froid qu'au-dehors. Bientôt, cependant, la bonne chaleur du poêle rendit leur souffle invisible. Il était neuf heures, et Laura annonça :

— Nous allons commencer la classe.

Martha et Charles entrèrent, essoufflés, avec trois minutes de retard. Laura n'avait aucune envie de les réprimander car elle savait que, tout au long du trajet, ils avaient dû déblayer la neige pour pouvoir avancer. Il est facile et même amusant de faire quelques pas dans la neige profonde, mais se frayer un chemin est un travail qui, à chaque pas, devient de plus en plus difficile. Un instant, elle pensa ne pas y faire allusion, pour cette fois, mais ce n'eût pas été honnête; nulle excuse ne pouvait changer le fait qu'ils ETAIENT en retard.

— Je suis désolée, mais je dois prendre note de votre retard, dit-elle. Vous pouvez cependant venir vous chauffer près du poêle avant de vous asseoir.

— Excusez-nous, Mademoiselle Ingalls. Nous ne savions pas que nous mettrions si longtemps, expliqua Martha.

— Je sais, c'est difficile de se faire un chemin à travers la neige, remarqua Laura.

Et tout à coup, elles se sourirent l'une l'autre, d'un sourire amical qui donna à Laura le sentiment qu'enseigner était chose aisée.

— Les élèves du Cours Elémentaire, levez-vous et venez au bureau, dit-elle avec bonne humeur.

Ruby, qui à elle seule représentait le Cours Elémentaire, se leva et vint se placer devant Laura.

La matinée se passa sans incident. A l'heure du déjeuner, Ruby s'approcha du bureau de Laura et lui offrit timidement un biscuit. Quand

ils eurent tous avalé le contenu de leurs récipients, Clarence l'invita à venir faire une partie
de boules de neige au-dehors.

— Je vous en prie, venez, insista Martha,
comme ça nous serons trois de chaque côté.

Laura était si contente d'être conviée à partager leurs jeux, si impatiente de sortir au soleil,
dans la neige fraîche, qu'elle accepta. C'était fort
amusant. Martha, Ruby et Laura firent équipe
contre Charles, Clarence et Tommy. Les boules
de neige fusaient de toutes parts. Clarence et
Laura étaient les plus rapides pour esquiver les
coups, se baisser et façonner les boules dans
leurs mains gantées de moufles, pour les lancer
et se jeter à nouveau de côté pour les éviter.
Laura avait les joues en feu, elle riait, quand,
soudain, un énorme projectile de neige vint lui
frapper le visage de plein fouet, alors qu'elle
avait la bouche ouverte; elle en était couverte,
comme d'un emplâtre.

— Oh, sapristi! J' n'ai pas fait exprès, s'écria
Clarence.

— Si, vous avez fait exprès, rétorqua Laura
qui, aveuglée, se frottait les yeux.

— Attendez, laissez-moi faire, ne bougez pas,
commanda-t-il.

Il la prit par l'épaule, tout comme il l'eût fait
pour Ruby et lui essuya le visage avec le bout de
son cache-col. Laura le remercia.

Elle avait compris, cependant, qu'elle ne devait plus jamais jouer avec eux. Elle était trop petite et trop jeune, et si elle se mêlait à leurs jeux, elle serait incapable de maintenir la discipline.

Ce même après-midi, Clarence tira les cheveux de Martha. Alors que celle-ci se retournait, sa natte brune effleura le pupitre de Clarence qui, aussitôt, la saisit et donna un coup sec.

— Clarence! ordonna Laura, n'ennuyez pas Martha. Occupez-vous plutôt de vos leçons.

Il lui adressa un large sourire sympathique qui exprimait, tout aussi clairement que des mots : « D'accord, puisque vous l' dites. Je n' le ferai plus. »

Horrifiée, Laura réalisa qu'elle était sur le point de sourire, mais, in extremis, elle garda son sérieux. Elle était à présent convaincue qu'elle allait avoir des problèmes avec Clarence.

Mercredi était passé; il ne restait plus que jeudi et vendredi. Laura s'efforçait de ne point s'attendre à la venue de Papa, mais elle ne pouvait s'empêcher de la souhaiter. Il était bien capable de venir la chercher, pour lui épargner deux tristes journées chez Mme Brewster. Mais il ignorait, bien sûr, combien elle était malheureuse. Il ne fallait pas compter le voir; et pourtant, il viendrait sûrement, s'il faisait beau.

S'il venait, il n'y aurait plus que deux soirées à endurer, et alors — vendredi soir... à la maison! Malgré tout, elle ne l'attendait pas, il ne le fallait pas, sans quoi elle serait trop déçue. Elle leur manquait à tous à la maison, elle le savait; si le temps était agréable, il viendrait certainement.

Mais, le vendredi matin, le ciel se montra orageux et le vent, plus froid que la veille.

Tout au long de la journée, à l'école, Laura écouta la voix du vent, craignant qu'elle ne se transformât en un mugissement de tempête, que le baraquement ne se mît à trembler et que la fenêtre ne s'obstruât.

Le vent monta et se mit à souffler plus froidement entre les interstices. La neige, arrachée aux congères, courait à travers la prairie. Laura savait, maintenant, que Papa ne viendrait pas. Les chevaux ne pouvaient faire vingt kilomètres par un temps pareil, ce serait trop.

« Comment vais-je faire pour tenir jusqu'à lundi? » pensa Laura.

Elle détourna tristement les yeux de la fenêtre et aperçut Charles à moitié endormi sur sa chaise. Il se réveilla soudain, d'un bond; Clarence venait de lui piquer le bras avec une épingle. Laura se retint de rire, mais Clarence surprit son regard, et une lueur amusée passa dans ses yeux. Elle ne pouvait pas laisser passer cela.

— Clarence, dit-elle, pourquoi n'étudiez-vous pas?

— Je sais toutes mes leçons, lui répondit-il.

Elle n'en doutait pas. Clarence apprenait vite; il travaillait tout aussi bien que Charles et Martha et pourtant, restait de longs moments à ne rien faire.

— Nous allons voir si vous savez votre orthographe, dit-elle et, donnant un petit coup sur la table, ordonna : Venez au tableau.

Les murs tremblaient sous la poussée du vent dont le hurlement grandissait de minute en minute, tout alentour. La chaleur du poêle rougeoyant faisait fondre la neige qui s'infiltrait entre les fentes du parquet, y laissant des traînées humides.

Clarence épela correctement les mots que lui avait indiqués Laura, tandis qu'elle se demandait si elle devrait laisser les élèves partir de bonne heure. Si elle attendait davantage, et si la tempête se faisait plus violente encore, Charles et Martha risquaient de ne pouvoir rentrer chez eux.

Il lui sembla que le vent avait quelque chose d'extraordinairement argentin. Elle prêta l'oreille; tous firent de même. Le ciel n'avait pas changé; de bas nuages gris se déplaçaient rapidement au-dessus de la prairie balayée par la neige. L'étrange son leur parvint de plus en plus clair, semblable à une musique. Soudain, toute l'atmosphère s'emplit d'un carillonnement de clochettes — des clochettes de traîneau!...

Ils reprirent tous leur respiration et sourirent. Deux chevaux bruns passèrent à vive allure devant la fenêtre. Laura les connaissait; il s'agissait de Prince et Lady, les chevaux du jeune M. Wilder! Les clochettes du traîneau tintèrent plus fort et se turent; puis quelques-unes rendirent encore une ou deux notes grêles. Les chevaux attendaient, tout contre le mur exposé au sud, à l'abri.

Laura était si troublée qu'elle dut affermir sa voix.

— Reprenez vos places, dit-elle.

Elle attendit un instant, puis ajouta :

— Vous pouvez tous ranger vos livres. Il est un peu tôt, mais la tempête augmente. Nous en avons fini pour aujourd'hui.

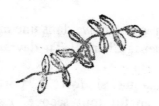

CHAPITRE 4

CLOCHETTES DE TRAINEAU

Clarence s'élança au-dehors, puis revint en criant :

— C'est quelqu'un pour vous, Maîtresse!

Laura était en train d'aider Ruby à mettre son manteau.

— Dites-lui que j'arrive dans une minute.

— Allez viens, Charles! Tu devrais voir ces chevaux!

Clarence claqua si fort la porte que le baraquement en fut tout secoué. Laura enfila rapidement son manteau, puis noua son châle et

48

son cache-col. Elle ferma le tirage du poêle, enfonça ses mains dans ses moufles, prit ses livres et son récipient, puis s'assura que la porte était bien fermée derrière elle. Elle se sentait si émue qu'elle avait peine à respirer. Papa n'était pas venu, mais elle allait rentrer à la maison, malgré tout!

Almanzo Wilder était assis dans un coupé, si petit et si bas qu'il ne ressemblait guère plus qu'à un tas de fourrures sur la neige, derrière Prince et Lady. Il était emmitouflé dans un manteau de peau de buffle et portait une casquette en fourrure, à oreillettes, qui semblait aussi chaude qu'un bonnet.

Au lieu de s'exposer à la tourmente, il préféra soulever les couvertures de peaux et tendre la main à Laura pour l'aider à monter dans le traîneau, puis il l'enveloppa dans les couvertures. Il s'agissait de chaudes peaux de buffle, couvertes de leur fourrure et doublées de flanelle.

— Voulez-vous vous arrêter chez les Brewster? demanda-t-il.

— Oui, il faut que j'y aille, pour déposer mon pot de camp et chercher ma sacoche, répondit Laura.

Dans la maison, Johnny hurlait de rage, et quand elle en ressortit, Laura vit qu'Almanzo regardait l'endroit avec dégoût. Mais tout cela était bien loin de ses pensées; l'important était qu'elle rentrait chez elle. Almanzo borda chaudement les couvertures autour d'elle, et les clochettes commencèrent à tinter gaîment, tandis qu'assise derrière les chevaux bruns elle s'en retournait à vive allure vers sa maison. La bouche protégée par l'épais châle de laine, elle observa :

— C'est gentil à vous d'être venu me chercher. J'espérais que Papa viendrait.

— Nous... enfin, il envisageait de venir, mais je lui ai dit que le trajet serait bien pénible pour ses chevaux, répondit Almanzo avec hésitation.

— Il faudra bien qu'ils me ramènent, répondit Laura d'un ton peu convaincu. Il faut que je sois à l'école lundi matin.

— Prince et Lady pourraient peut-être refaire le trajet, déclara Almanzo.

Laura, qui n'avait pas cherché à lui faire cette suggestion, se sentit gênée; elle n'avait même pas songé qu'il pût la reconduire. Une fois encore, elle avait parlé avant de réfléchir. Combien le conseil de Papa était justifié! « Maintenant, je tournerai toujours sept fois ma langue dans ma bouche avant de parler », pensa-t-elle, puis remarqua tout haut, sans penser combien cela pouvait paraître indélicat :

— Oh, vous n'avez pas besoin de vous déranger, Papa me reconduira.

— Cela ne me dérangerait nullement, observa Almanzo. Je vous avais dit que je vous emmènerais faire une promenade en traîneau quand mon coupé serait terminé. C'est celui-ci; comment le trouvez-vous?

— Je trouve que c'est amusant de se promener dedans, il est tellement petit!

— Je l'ai fait, exprès, plus petit que ceux du commerce. Il ne fait qu'un mètre soixante de long et soixante-dix centimètres de large à la base. On y est plus au chaud et c'est plus léger à tirer pour les chevaux, expliqua Almanzo.

— On a l'impression de voler! s'exclama Laura, qui jamais n'avait imaginé qu'on pût aller à une telle vitesse.

Les nuages bas fuyaient derrière eux, la neige

soufflée, repoussée de part et d'autre, s'élevait en fumée, alors que les chevaux, la robe brune et luisante, allaient toujours plus avant, égrenant la musique de leurs chapelets de clochettes. Pas un cahot, pas un à-coup; le petit coupé volait au ras de la neige, pareil à l'oiseau dans le ciel.

Presque trop tôt et pas assez tôt, toutefois, ils passèrent en un éclair devant les fenêtres de la Grand-Rue, et voilà que la porte d'entrée de la maison était à nouveau là, s'ouvrant — Papa se tenait sur le seuil. Avant même d'avoir réfléchi, Laura était sortie du coupé et se trouvait déjà en haut des marches. Elle se retourna et s'écria, tout d'une haleine :

— Oh! merci, M. Wilder, bonsoir!

Elle était à la maison! Le visage de Maman s'illumina d'un sourire. Carrie arriva en courant pour dérouler le cache-col et le châle de Laura, tandis que Grace battait des mains et criait :

— Laura est revenue!

Puis Papa rentra et dit, heureux :

— Laisse-moi un peu te voir. Oui, oui, la même petite tête de linotte!

Que de choses il y avait à dire et à raconter! Jamais la vaste salle de séjour n'avait été si belle. Les murs étaient d'un brun sombre, à présent; chaque année, les planches taillées dans le pin, prenaient une teinte plus foncée. La table était recouverte de la nappe à carreaux rouges, et les tapis faits de bandelettes d'étoffe tressées faisaient un bel effet sur le plancher. Les fauteuils à bascule étaient placés près des fenêtres garnies de rideaux blancs; il y avait celui de Mary, que l'on avait acheté, et le fauteuil en bois de saule que Papa avait fabriqué pour Maman, il y avait bien longtemps, lorsqu'ils vivaient en territoire indien. Dessus, étaient posés les coussins en patchwork et le panier à ouvrage de Maman avec son tricot et la pelote de fil, dans laquelle étaient plantées les aiguilles. Kitty s'étira paresseusement, bâilla et vint faire le dos rond en ronronnant contre les chevilles de Laura. Là, sur le bureau de Papa, se trouvait le panier fait de perles bleues, que Mary avait confectionné.

La conversation se poursuivit autour de la table du dîner; Laura se sentait plus affamée de paroles que de nourriture. Elle dressa le portrait de chacun de ses élèves à l'école, puis Maman parla de la dernière lettre de Mary. Mary faisait des merveilles dans son collège pour aveugles, dans l'Etat d'Iowa. Carrie fit part de toutes les nouvelles de l'école en ville. Grace parla des mots qu'elle avait appris à lire et de la dernière bagarre de Kitty avec un chien.

Après le dîner, quand Laura et Carrie eurent achevé la vaisselle, Papa demanda à Laura, ainsi qu'elle l'avait espéré :

— Si tu veux bien m'apporter mon violon,

Laura, nous pourrions faire un peu de musique.

Il joua les fameuses marches d'Ecosse et des Etats-Unis, les douces romances d'autrefois et les joyeux airs de danse; et Laura se sentait si heureuse, qu'elle en avait la gorge serrée.

Quand elle monta, à l'heure du coucher, avec Carrie et Grace, elle contempla, par la lucarne de la mansarde, les lumières de la ville qui scintillaient çà et là dans le vent et les tourbillons de neige. Comme elle se blottissait sous les couvertures, elle entendit Papa et Maman arriver à leur chambre, au haut de l'escalier, puis le plaisant murmure de Maman et la voix plus profonde de Papa lui répondant. Elle était si contente d'être à la maison et ceci pour deux jours qu'elle eut du mal à s'endormir.

Son sommeil lui-même fut bon et profond, sans cette appréhension de tomber d'un canapé étroit. Elle s'éveilla avec l'impression de s'être tout juste endormie. Elle entendit, au rez-de-chaussée, le cliquetis du rond de fourneau et réalisa qu'elle était à la maison.

— Bonjour! s'écria Carrie, de son lit.

Grace se leva d'un bond et cria :

— Bonjour, Laura!

Lorsqu'elle pénétra dans la cuisine, Maman lui dit bonjour avec le sourire, et Papa qui rentrait de la traite lança avec bonne humeur :

— Bonjour, tête de linotte!

Jamais, auparavant, Laura n'avait remarqué que le fait de dire « Bonjour », faisait que la journée était bonne. Au moins, elle apprenait quelque chose grâce à cette Mme Brewster.

Comme le petit déjeuner fut agréable! Aussitôt après, Laura et Carrie lavèrent vivement la vaisselle et montèrent faire les lits. Tout en bordant un drap, Laura observa :

— Carrie, est-ce que tu te rends compte quelle chance nous avons de vivre dans une maison comme celle-ci?

Carrie jeta un coup d'œil autour d'elle, surprise. Il n'y avait rien que les deux lits, les trois cartons sous l'avancée du toit, dans lesquels elles rangeaient leurs effets personnels et, au-dessus de sa tête, l'envers des bardeaux; puis le tuyau du poêle qui traversait le plancher pour ressortir à travers la toiture.

— Il y fait BON, constata Carrie, tandis qu'elles étendaient la première couverture, en pliaient et en rentraient les bords. J'avoue que je n'y ai jamais vraiment pensé.

— Attends, tu verras quand tu partiras, tu y penseras.

— Tu détestes tant que ça faire l'école? s'enquit Carrie.

— Oui, j'ai horreur de ça, confessa Laura à voix basse. Mais il ne faut pas que Papa et Maman le sachent.

Elles secouèrent les oreillers avant de les remettre en place, puis allèrent faire le lit de Laura.

— Ça ne durera peut-être pas très longtemps, la consola Carrie.

Elles défirent les boutons du polochon garni de paille et y plongèrent leurs bras pour l'aérer.

— Tu te marieras peut-être. Maman s'est bien mariée.

— Je n'en ai pas envie, affirma Laura, qui aplanit le polochon et le reboutonna. Voilà, et maintenant, la couverture. Je préférerais rester à la maison à toute autre chose.

— Toujours?

— Oui, toujours, assura Laura.

Elle le pensait de tout cœur. Elle étendit le drap puis ajouta :

— Mais je ne peux pas, en tout cas, pas tout le temps. Il faut que je continue à enseigner.

Elles bordèrent les couvertures et tapèrent l'oreiller de Laura. Elles en avaient fini avec les lits; Carrie déclara qu'elle balayerait :

— C'est toujours moi qui le fais, maintenant, dit-elle, et si tu dois aller chez Mary Power, plus vite tu iras, plus tôt tu rentreras.

— Il faut juste que je vérifie si je n'ai pas pris de retard sur les autres, expliqua Laura.

En bas, elle installa la lessiveuse sur le fourneau, la remplit de seaux d'eau qu'elle alla chercher au puits et s'en fut rendre visite à Mary Power, pendant que l'eau chauffait.

Elle finissait par oublier que la ville lui avait toujours déplu; l'air y était vif et lumineux ce matin-là. Le soleil se jouait dans les ornières de neige glacée qui sillonnaient la rue, étincelait sur les rebords verglacés des trottoirs en planches. Sur les deux pâtés de maisons, il ne restait plus désormais que deux terrains inoccupés, du côté ouest de la rue; quelques-unes des boutiques étaient peintes en blanc ou gris. L'épicerie de M. Harthorne était peinte en rouge. Partout régnaient l'agitation et l'animation matinales. Les marchands, vêtus d'épais manteaux, raclaient la neige piétinée et gelée qui encombrait les trottoirs et, tout en travaillant, parlaient et se lançaient des plaisanteries. Des portes claquaient, des poules caquetaient et des chevaux hennissaient dans les écuries.

M. Fuller, puis M. Bradley se découvrirent pour saluer Laura et lui souhaiter le bonjour, à son passage. M. Bradley observa :

— J'ai entendu dire que vous faisiez la classe à l'école de Brewter, Mademoiselle Ingalls.

— Oui, répondit Laura, qui se sentit très grande personne.

Le père de Mary, M. Power, le tailleur, s'affairait à ses travaux de couture dans son atelier, assis sur une table, les jambes repliées sous lui. Dans l'arrière-boutique, Mary aidait sa mère aux tâches ménagères.

— Eh bien, voyez un peu qui est là! s'exclama Mme Power. Comment va notre maîtresse d'école?

— Très bien, je vous remercie, répondit Laura.

— Cela te plaît de faire la classe? demanda Mary.

— Je ne me débrouille pas trop mal, je crois, mais j'aimerais mieux être à la maison. Je serai contente quand les deux mois seront passés.

— Nous toutes aussi, lui assura Mary. C'est fou ce qu'on est en mal de toi à l'école!

— C'est vrai? insista Laura, heureuse; à moi aussi vous me manquez.

— Nellie Oleson a essayé de prendre ta place, reprit Mary, mais Ida n'a pas voulu et a dit qu'elle te la gardait, alors M. Owen a accepté.

— Mais pourquoi Nellie Oleson voulait-elle s'asseoir à ma place? s'exclama Laura. La sienne est aussi bonne ou presque, il me semble.

— Ça, c'est Nellie, répondit Mary. C'est tout simplement parce qu'elle veut toujours avoir ce que les autres ont. Oh, Laura, elle va en être malade quand je vais lui raconter qu'Almanzo Wilder t'a ramenée chez toi dans son nouveau traîneau!

Toutes deux éclatèrent de rire; Laura en fut

un peu honteuse, mais elle ne pouvait s'en empêcher. Elles se rappelaient la façon dont Nellie s'était vantée d'aller bientôt se promener derrière les chevaux bais, et cela ne lui était encore jamais arrivé.

— J'ai hâte de voir sa tête, dit Mary.

— Je ne trouve pas que ce soit très gentil de ta part, Mary, intervint Mme Power.

— Je sais que ce n'est pas gentil, admit Mary, mais si tu savais comme cette Nellie Oleson est toujours en train de se vanter, de se donner des airs et de lancer des piques à Laura! Et quand je pense, maintenant, que Laura est institutrice et qu'Almanzo Wilder la courtise en la ramenant chez elle...!

— Oh, non! ce n'est pas vrai! s'écria Laura, indignée. Ce n'est pas du tout le cas. Il est venu me chercher pour rendre service à Papa.

Mary se mit à rire.

— Il doit avoir beaucoup d'estime pour ton Papa, dit-elle d'un air taquin.

Elle regarda Laura et ajouta :

— Je suis désolée, je n'en parlerai plus, si cela t'ennuie.

— Ce n'est pas ce que je veux dire, remarqua Laura.

Tout était simple quand vous étiez seule ou à la maison, mais, dès que vous rencontriez d'autres personnes, tout devenait compliqué. Elle ajouta :

— Je ne veux tout simplement pas que tu croies que M. Wilder est mon prétendant, parce qu'il ne l'est pas, c'est tout.

— Bon, d'accord, répondit Mary.

— Je ne suis venue que pour une minute, expliqua Laura. J'ai mis de l'eau à chauffer, elle doit être bouillante maintenant. Dis-moi où vous en êtes dans votre programme, Mary.

Quand Mary lui eut montré à quel stade elles en étaient, Laura se rendit compte qu'elle n'avait pas pris de retard sur les autres élèves de sa classe, grâce aux heures passées à étudier le soir. Puis, elle rentra à la maison.

Laura fut on ne peut plus heureuse, tout au long de la journée. Elle fit sa lessive, humecta et repassa le linge propre et frais, puis, une fois installée dans la plaisante salle de séjour, elle décousit son joli chapeau de velours marron, tout en parlant à bâtons rompus avec Maman et Carrie. Elle brossa et délustra ensuite le velours, avant de le draper à nouveau autour de la coiffe empesée, puis elle l'essaya. On eût dit un chapeau neuf, plus seyant encore qu'auparavant. Elle eut tout juste le temps de brosser et de délustrer sa robe brune à l'aide d'une éponge, puis de la repasser, avant d'aider Maman à préparer le dîner, qui fut servi de bonne heure. Ensuite, l'un après l'autre, ils prirent tous un bain dans la cuisine bien chauffée et montèrent se coucher.

« Si seulement je pouvais toujours vivre comme ça, je n'en demanderais pas plus, pensa Laura en s'endormant, mais peut-être que je l'apprécie davantage parce qu'il ne me reste plus que cette nuit et demain matin... »

Le soleil matinal et le ciel avaient leur aspect paisible du dimanche. La ville elle-même respirait ce calme recueilli, particulier au jour du Seigneur, lorsque Maman, Laura, Carrie et Grace, posément, sortirent le lendemain matin. La maison était rangée et les haricots blancs, prévus pour le déjeuner dominical, cuisaient lentement dans le four. Papa régla comme il faut le tirage du poêle et ferma la porte d'entrée à clef derrière lui.

Laura et Carrie marchaient en tête, suivies de Papa et Maman qui tenaient Grace par la main. Tout propres et pimpants dans leurs plus beaux vêtements, ils allaient, lentement, prenant garde de ne pas glisser sur les chemins verglacés. Tout le long de la Grand-Rue et en file indienne à travers les terrains situés derrière la boutique de M. Fuller, tous les autres habitants se rendaient à l'église également, avançant à pas mesurés.

En entrant, Laura, pleine d'espoir, jeta un coup d'œil sur les bancs en partie occupés — Ida était là ! Une lueur de joie dansa dans les yeux bruns d'Ida lorsqu'elle vit Laura ; elle se glissa le long du banc, afin de lui faire une place et lui serra le bras.

— Que je suis contente de te voir ! murmura-t-elle. Depuis quand es-tu là ?

— Vendredi, après l'école. Je dois repartir cet après-midi, répondit Laura.

Elles disposaient d'un petit moment pour parler avant que ne commençât l'Ecole du Dimanche.

— Tu aimes bien enseigner ? lui demanda Ida.

— Non, pas du tout ! Mais n'en dis rien à personne. Jusqu'à maintenant, ça ne va pas trop mal.

— Je ne le répéterai pas, promit Ida, mais je m'en doutais. Tu sais, tu nous manques terriblement à l'école.

— Je reviendrai, il n'y en a plus que pour sept semaines.

— Laura, ça ne te fait rien, n'est-ce pas, si Nellie Oleson prend ta place, à côté de moi, pendant que tu es partie ?

— Vraiment, Ida Brown... commença Laura.

Mais elle vit qu'elle ne faisait que la taquiner et enchaîna :

— Bien sûr que non, propose-la-lui pour voir si elle accepte.

Toutes deux furent prises d'une folle envie de rire, mais comme elles étaient à l'église, elles demeurèrent assises en silence, toutes secouées, s'étouffant presque dans leur effort pour garder leur sérieux. Mais déjà Lawyer Barnes frappait sur son pupitre, rappelant les élèves à l'ordre afin de pouvoir commencer, si bien qu'elles durent interrompre leur conversation et se lever pour chanter avec les autres :

Douce Ecole du Dimanche! plus chère à mon cœur
Que les plus beaux palais des anges,
Mon cœur se tourne vers toi avec bonheur
O ma chère maison du dimanche.

Chanter ensemble était plus agréable encore que de parler. Ida était si merveilleuse! pensait Laura, alors qu'elles se tenaient debout, côte à côte, le livre de cantiques ouvert devant elles.

Ici, à mon âme ardente et vagabonde
S'est ouvert le chemin de la vie;
Ici, j'ai cherché le mieux au monde
Et trouvé une maison du dimanche.

La voix pure et assurée de Laura maintenait la note, cependant qu'Ida, de son doux contralto, modulait à intervalles réguliers : « maison du dimanche », puis leurs voix reprirent à l'unisson :

Mon cœur se tourne vers toi avec bonheur
O ma chère Ecole du Dimanche.

Le catéchisme était le moment le plus agréable du temps passé à l'église. Bien qu'elles ne pussent parler qu'au moniteur et seulement à propos de la leçon, Ida et Laura pouvaient se sourire et chanter en chœur, mais une fois l'Ecole du Dimanche terminée, elles n'avaient que le temps de se dire au revoir. Ida devait alors rejoindre Mme Brown, assise au premier rang, et prendre place à côté d'elle, tandis que le révérend Brown prononçait un de ses longs et stupides sermons.

Laura et Carrie allèrent s'asseoir auprès de Papa, Maman et Grace. Laura fit bien attention de se souvenir du texte biblique, afin d'être en mesure de le réciter à la maison, quand Papa le lui demanderait, après quoi, elle n'eut plus besoin d'écouter. Marie lui manquait toujours à l'église, elle qui s'était toujours tenue si convenablement, attentive à ce que Laura se comportât comme il faut. Cela faisait un curieux effet de penser qu'un jour elles avaient été petites filles, maintenant que Marie était au collège et qu'elle-même enseignait. Elle s'efforça d'écarter de son esprit la pensée de Mme Brewster et de son école; après tout, Marie était au collège, et Laura gagnait à présent quarante dollars. Grâce à cette somme, Marie pourrait sans doute y rester encore l'année suivante. Peut-être qu'en persévérant tout se solutionne; de toute façon, il faut essayer, sans quoi on ne peut arriver à rien. « Si seulement j'arrivais à tenir Clarence encore pendant sept semaines », pensa Laura.

Carrie lui pinça le bras comme tout le monde se levait pour chanter l'hymne de louanges. Le service était terminé.

Comme le déjeuner fut agréable! Les haricots gratinés de Maman étaient délicieux, ainsi que le pain, le beurre et les petits pickles de concombre, et ils étaient tous si détendus, si gais et loquaces!

— Ce qu'il fait bon ici! s'exclama Laura.

— C'est vraiment dommage qu'il ne fasse pas meilleur chez les Brewster, remarqua Papa.

— Mais, Papa, je ne me suis pas plainte, répondit Laura, surprise.

— Je le sais, Laura, reprit Papa. Allons, tâche de faire contre mauvaise fortune bon cœur; ces sept semaines seront bien vite passées, et tu seras de nouveau à la maison.

Comme ce fut plaisant, une fois la vaisselle

rangée, quand ils furent tous installés dans la pièce donnant sur la rue, pour y passer l'après-midi du dimanche! Le soleil entrait à flots, à travers les vitres propres, dans la pièce bien chauffée où Maman se balançait doucement dans son fauteuil à bascule, tandis que Carrie et Grace regardaient, avec un intérêt passionné, les images dans le gros livre vert de Papa : *Les merveilles du monde animal.* Papa lisait à Maman des articles de la *Revue du pèlerin,* pendant que Laura, assise à son bureau, écrivait une lettre à Marie avec le petit porte-plume de Maman dont le manche orné de perles avait la forme d'une plume d'oiseau, s'appliquant à donner des nouvelles de son école, de ses élèves, sans bien sûr parler des désagréments. On entendait le tic-tac de l'horloge et, de temps à autre, le bref ronron de Kitty qui s'étirait paresseusement.

Quand elle eut achevé sa lettre, Laura monta plier ses vêtements fraîchement lavés dans la sacoche de Maman, qu'elle descendit ensuite dans la pièce. Il devait être temps de partir, pourtant, Papa demeurait assis à lire son journal, sans se soucier de l'heure.

Maman jeta un regard sur l'horloge et dit doucement :

— Charles, tu devrais atteler les chevaux, sinon vous allez partir en retard. Cela fait loin

66

pour aller et revenir, et la nuit tombe vite en ce moment.

Papa se contenta de tourner la page de son journal et dit, d'un ton désinvolte :

— Oh, rien ne presse.

Laura et Maman se regardèrent l'une l'autre, stupéfaites, puis, jetèrent un coup d'œil sur l'horloge et de nouveau à Papa. Il ne bougeait toujours pas, mais un sourire se dessinait sous sa barbe brune; Laura s'assit.

L'horloge faisait tic-tac, Papa lisait son journal en silence. Par deux fois, Maman fut sur le point de parler, puis se ravisa. Enfin, sans lever les yeux de sa lecture, Papa remarqua :

— Il y a des gens qui n'ont pas très confiance en mon attelage.

— Pourquoi, Charles? Les chevaux n'ont rien, j'espère! s'exclama Maman.

— Eh bien, reprit calmement Papa, c'est un fait qu'ils ne sont plus aussi jeunes qu'autrefois. Ils peuvent encore tenir parfaitement le coup pour faire quarante kilomètres, quoi qu'on en dise.

— Charles, dit Maman, impuissante.

Papa leva les yeux sur Laura, une lueur malicieuse dans le regard.

— Je n'aurai peut-être pas à les faire aller si loin..., reprit-il.

On entendait des clochettes de traîneau descendre la rue; elles se rapprochèrent, sonnant plus clair, plus fort, puis tintinnabulèrent toutes à la fois et s'arrêtèrent à la porte. Papa alla ouvrir, et Laura distingua la voix d'Almanzo :

— Bonjour, Monsieur Ingalls. Je venais voir, en passant, si Laura me permettrait de la reconduire à son école?

— Ma foi, je suis sûr qu'elle sera ravie de faire une promenade dans ce coupé, répondit Papa.

— Il se fait tard, et il fait trop froid pour que je mette les chevaux à l'attache sans couvertures, expliqua Almanzo. Je vais aller jusqu'en bas de la rue, et je m'arrêterai au retour.

— Je vais le lui dire, fit Papa.

Papa referma la porte, tandis que les clochettes s'éloignaient en tintant.

— Qu'en penses-tu, Laura? demanda-t-il.

— Je trouve que c'est amusant d'aller en coupé, répondit-elle aussitôt.

Elle noua rapidement sa capuche et enfila son manteau; les clochettes revenaient. A peine eut-elle le temps de dire au revoir, que déjà elles s'arrêtaient à la porte.

— N'oublie pas la sacoche, recommanda Maman.

Laura se retourna pour la prendre vivement.

— Merci, Maman, au revoir! lança-t-elle en se dirigeant vers le coupé.

Almanzo l'aida à monter et borda les couvertures en peau de buffle autour d'elle. Prince et Lady partirent sans plus attendre; les clochettes carillonnèrent toutes à la fois, et le traîneau l'emporta de nouveau vers son école.

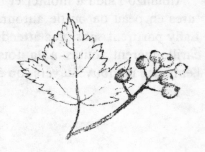

CHAPITRE 5

CONTRE MAUVAISE FORTUNE
BON CŒUR

Tout alla mal cette semaine-là, tout ; rien ne donna à Laura le moindre encouragement.

Le temps était maussade et de mornes nuages bas s'étiraient au-dessus de la prairie d'un blanc grisâtre. Le vent soufflait, monotone ; le froid humide vous pénétrait, les poêles fumaient.

Mme Brewster laissait le ménage aller à vau-l'eau. Elle ne balayait plus la neige que M. Brewster ramenait du dehors sous ses souliers, si bien que celle-ci fondait et formait des flaques auxquelles se mêlaient les cendres, tout autour du fourneau. Elle ne prenait plus la peine de faire le lit, ni même de l'aérer. Trois fois par jour, elle faisait cuire des pommes de terre et du porc salé qu'elle posait sur la table, et passait le reste du temps à broyer du noir, assise dans son fauteuil. Elle ne peignait même plus ses cheveux, et Laura eut l'impression que Johnny n'avait cessé de hurler de colère tout au long de la semaine.

Un jour, Laura essaya de jouer avec lui, mais il ne fit que la frapper, et Mme Brewster lança violemment :

— Laissez-le tranquille!

Après le dîner, il s'endormait sur les genoux de son père, qui lui-même restait tout simplement assis sans rien faire. Le silence de Mme Brewster semblait contaminer l'atmosphère, et lui restait assis, là, telle une souche, pensait Laura. Elle avait entendu cette expression, sans jamais réaliser ce qu'elle signifiait — une souche ne lutte contre personne, mais on ne peut la déplacer.

Le silence était si pesant que Laura ne pouvait guère étudier. Dès qu'elle allait se coucher, Mme Brewster s'en prenait à son mari et ne cessait de répéter qu'elle voulait retourner dans l'Est.

De toute façon Laura aurait eu du mal à bien étudier; elle était préoccupée au sujet de son école, et malgré tous ses efforts, tout allait de mal en pis.

Cela commença dès le lundi avec Tommy qui ne savait pas un traître mot de sa leçon; Ruby, selon lui, n'avait pas voulu lui prêter le livre.

— Comment, Ruby! s'étonna Laura.

C'est alors que la douce petite Ruby devint folle de rage. Laura en demeura à tel point interdite qu'ils en vinrent à se disputer devant tout le monde, avant qu'elle eût le temps de réagir.

Avec rigueur, Laura mit fin à cette situation, puis se dirigea vers le pupitre de Tommy et lui donna le livre.

— Maintenant, étudiez cette leçon, ordonnat-elle. Vous pourrez rester à la récréation pour me la réciter.

Le jour suivant, ce fut le tour de Ruby. Debout devant Laura, les mains derrière le dos, aussi innocente que l'enfant qui vient de naître, elle expliqua :

— J'n'ai pas pu apprendre ma leçon, Maîtresse, vous avez donné le livre à Tommy.

Laura pensa à tourner sept fois sa langue dans sa bouche, et dit enfin :

— En effet, eh bien vous pouvez vous asseoir l'un à côté de l'autre et apprendre votre orthographe.

Ils n'en étaient pas à la même page, mais

pouvaient fort bien tenir le livre ouvert à deux endroits différents. Tommy pouvait étudier sa leçon, en se penchant d'un côté, et Ruby, la sienne, en se penchant de l'autre côté. Autrefois, Laura et Mary avaient coutume d'étudier ainsi chacune leurs propres leçons dans le livre d'orthographe de Maman.

Mais contrairement à elles, Tommy et Ruby ne cessèrent de se chamailler en silence, chacun essayant d'ouvrir davantage le livre de son côté. A maintes reprises, Laura les rappela à l'ordre d'un ton sévère :

— Tommy! Ruby!

Mais ni l'un ni l'autre n'apprirent correctement leur leçon.

Martha n'arrivait pas à résoudre ses problèmes d'arithmétique; quant à Charles, il restait assis à ne rien faire, les yeux rivés sur la fenêtre où il n'y avait rien à voir, hormis le temps gris. Quand Laura lui rappelait de s'intéresser à sa leçon, il fixait la page d'un air rêveur, et Laura savait qu'il ne la voyait pas.

Elle était vraiment trop jeune. Quand Martha, Charles et Clarence venaient réciter, debout devant elle, elle ne se sentait pas de taille. Bien qu'elle fît de son mieux, elle ne parvenait pas à leur donner l'envie d'étudier, pas même l'histoire ou la géographie.

Le lundi, Clarence savait une partie de sa

leçon, mais quand Laura lui demanda à quelle époque avait eu lieu l'installation des premiers immigrants en Virginie, il répondit négligemment :

— Oh, je n'ai pas étudié cette partie-là.

— Et pourquoi donc? s'enquit Laura.

— La leçon était trop longue, rétorqua Clarence, le regard en coin et moqueur, où l'on pouvait y lire : « Qu'est-ce que vous allez y faire? »

Laura était furieuse, mais comme ses yeux rencontraient les siens, elle comprit qu'il n'attendait que cela. Que pouvait-elle faire? Elle ne pouvait pas le punir, il était trop grand. Il ne fallait surtout pas qu'elle montrât sa colère.

Aussi garda-t-elle son calme, tandis qu'elle tournait les pages du livre d'histoire d'un air réfléchi. Le cœur lui manquait, mais il ne fallait pas qu'il s'en rendît compte; elle dit enfin :

— C'est trop dommage que vous n'ayez pas pu étudier ceci, votre prochaine leçon va être tellement plus longue! Mais nous ne pouvons pas retarder Charles et Martha.

Elle continua à écouter Charles et Martha réciter leur leçon, puis leur en donna à tous une nouvelle, de la longueur habituelle.

Le lendemain, Clarence ne savait pas un mot d'histoire.

— Ça ne sert à rien d'essayer d'apprendre

des leçons qui sont aussi longues, déclara-t-il.

— Si vous refusez d'apprendre, Clarence, vous ne faites du tort qu'à vous, remarqua Laura.

A chaque fois qu'arrivait son tour, elle continuait à lui poser des questions, dans l'espoir qu'il se sentît honteux d'avoir toujours à répondre : « Je ne sais pas », mais ce fut en vain.

Elle réalisait chaque jour avec plus de tristesse qu'elle était en train d'échouer. Elle n'était pas faite pour enseigner, pensait-elle. Son premier essai serait un échec, elle serait incapable d'obtenir un second certificat, elle ne gagnerait plus rien, Marie serait obligée de quitter le collège, et ceci, par sa faute. Elle avait du mal à apprendre ses propres leçons, bien qu'elle étudiât non seulement le soir, mais à midi et à la récréation également. Quand elle retournerait dans sa classe, en ville, elle serait en retard sur les autres.

Tout était de la faute de Clarence. En ce qui concernait Tommy et Ruby, il pouvait les faire tenir tranquilles, s'il le voulait, étant leur frère aîné. Il était lui-même capable d'apprendre ses leçons; il était, en fait, beaucoup plus intelligent que Martha et Charles. Si seulement elle avait été assez grande pour pouvoir administrer à Clarence la correction qu'il méritait!

La semaine se traîna, la plus longue et la plus pénible que Laura eût jamais vécue.

Le jeudi, quand Laura appela les grands pour la leçon de calcul, Clarence se leva rapidement, Charles commença à se déplacer d'un pas traînant ; quant à Martha, elle se leva à demi, hurla « aïe » et retomba sur son siège, comme si on l'eût retenue brutalement. Clarence avait planté son couteau dans son pupitre après l'avoir passé au travers de sa natte. Il l'avait fait si discrètement que Martha ne s'en était rendu compte qu'au moment où elle avait essayé de se lever.

— Clarence ! s'écria Laura.

Clarence ne s'arrêtait pas de rire, Tommy riait lui aussi, Ruby gloussait, Charles lui-même avait le sourire, tandis que Martha, le visage rouge et les yeux embués de larmes, demeurait immobilisée.

Laura était au désespoir. Tous étaient contre elle et elle était incapable de les discipliner. Oh, comment pouvaient-ils se conduire si méchamment ! L'espace d'un instant, elle se rappela Mlle Wilder, qui avait été incapable de tenir sa classe, en ville. « Voilà ce qu'elle ressentait », pensa Laura.

Soudain, la colère s'empara d'elle. Elle arracha vivement le couteau et le referma dans sa main d'un coup sec et comme elle affrontait Clarence, tout sentiment de petitesse avait disparu.

— Vous devriez avoir honte! lança-t-elle.

Il cessa de rire sur-le-champ; tous se tenaient tranquilles.

Laura regagna sa place d'un pas assuré, frappa sur le bureau et ordonna :

— Classe de calcu! levez-vous! Avancez!

Ils ne savaient pas la leçon; ils furent incapables de résoudre les problèmes, mais ils firent au moins l'effort d'essayer. Laura se sentait immense et terrifiante; ils lui obéissaient, soumis. Elle dit enfin :

— Vous pourrez bien reprendre tous cette leçon demain. Nous en avons fini pour aujourd'hui.

Elle avait mal à la tête tandis qu'elle regagnait la détestable maison de Mme Brewster. Elle ne pouvait être furieuse en permanence et la discipline ne servait à rien si les élèves n'apprenaient pas leurs leçons. Ruby et Tommy étaient très en retard en orthographe, Martha se montrait incapable de faire l'analyse grammaticale d'une simple phrase ou d'additionner des fractions; quant à Clarence, il délaissait complètement l'histoire. Enfin, Laura essayait de garder l'espoir qu'elle pourrait faire mieux le lendemain.

Le vendredi fut calme. Mornes et indifférents, ils attendaient tout simplement que la semaine fût finie et Laura de même.

Les aiguilles de la pendule n'avaient jamais avancé avec plus de lenteur.

Au cours de l'après-midi, les nuages commencèrent à se déchirer, et la lumière se fit plus vive. Peu avant quatre heures, le soleil jeta ses pâles rayons vers l'est, sur le paysage enneigé, puis Laura perçut un faible tintement de clochettes de traîneau.

— Vous pouvez ranger vos livres, dit-elle.

Cette triste semaine était enfin passée, rien ne pouvait plus arriver désormais.

— La classe est terminée, dit Laura.

Le chant des clochettes se rapprochait, plus intense et plus clair. Laura avait déjà noué sa capuche et boutonné son manteau quand Prince et Lady passèrent devant la fenêtre, toutes clochettes sonnantes. Elle prit vivement ses livres et son récipient, et c'est alors que se produisit la pire des choses.

Clarence ouvrit la porte, passa sa tête dans l'entrebâillement et cria à tue-tête :

— V'là l'amoureux de la maîtresse !

Almanzo avait sûrement entendu, comment aurait-il pu s'en empêcher ? Laura n'avait pas le courage d'affronter son regard. Qu'allait-elle pouvoir dire ? Comment lui faire comprendre qu'elle n'avait donné à Clarence aucune raison de dire une chose pareille ?

Il attendait dans le vent glacé, et les chevaux n'étaient pas couverts ; il fallait qu'elle sortît de la classe. Il lui sembla qu'il souriait, mais elle osait à peine le regarder. Il la borda et demanda :

— Vous avez bien chaud ?

— Oui, merci, répondit Laura.

Les chevaux partirent aussitôt, leurs chapelets de clochettes tintant gaîment. Mieux valait ne rien dire à propos de Clarence, décida Laura ; comme disait Maman : « Moins on parle, mieux cela vaut. »

CHAPITRE 6

SAVOIR S'Y PRENDRE

Laura se sentait beaucoup mieux, ce soir-là, en écoutant Papa jouer du violon. Deux semaines étaient écoulées, pensait-elle, il n'en restait plus que six. Que faire, sinon persévérer? La musique s'interrompit.

— Qu'est-ce qui ne va pas, Laura? s'enquit Papa. Tu ne veux pas nous dire ce que tu as sur le cœur?

Ce n'était pas dans ses intentions de leur créer des soucis, elle ne comptait rien dire qui ne fût gai. Mais, soudain, elle s'effondra :

— Oh, Papa, je ne sais pas quoi faire!

Elle leur raconta tout à propos de cette épouvantable semaine à l'école.

— Que puis-je faire? suppliait-elle. Il faut que je fasse quelque chose. Je ne PEUX PAS me permettre d'échouer, pourtant, c'est ce qui est en train de se passer. Si seulement j'étais assez grande pour pouvoir corriger Clarence, il en a grand besoin, mais je n'en suis pas capable.

— Tu pourrais demander à M. Brewster de le fouetter à ta place, suggéra Carrie. Il lui apprendrait à se tenir bien.

— Oh, mais Carrie! protesta Laura, comment puis-je dire à quelqu'un du conseil d'administration que je ne sais pas m'y prendre avec mes élèves? Non, c'est impossible.

— Tu y es, Laura! s'exclama Papa. Tu as trouvé le mot : savoir s'y prendre. Tu n'irais peut-être pas bien loin avec Clarence, même si tu étais assez forte pour le punir comme il le mérite. Par la force pure et simple, on n'obtient pas grand-chose. Chacun est né libre, tu sais, c'est bien dit dans la Déclaration d'Indépendance. Et puis, on mène l'âne à l'abreuvoir mais on ne le fait pas boire, et qu'on le veuille ou non, personne ne peut régenter Clarence si ce n'est lui-même. Tu ferais mieux d'essayer de bien le prendre.

— Oui, je sais, Papa, mais comment?

— Eh bien, tout d'abord, sois patiente. Essaie, autant que possible, de voir les choses comme lui. Il vaut mieux que tu ne cherches pas à lui imposer quelque chose, tu n'y arriveras pas. Je n'ai pas l'impression que ce soit vraiment un mauvais garçon.

— Non. c'est vrai, admit Laura, mais je suppose que je ne sais pas m'y prendre avec lui, c'est tout.

— Si j'étais toi, commença Maman d'une voix douce — et Laura se souvint que Maman avait été institutrice autrefois — je laisserais faire Clarence, sans lui prêter du tout attention. Il a envie qu'on s'intéresse à lui, c'est pourquoi il fait le malin. Sois gentille et aimable avec lui, mais consacre toute ton attention aux autres et reprends-les en main; Clarence finira par rejoindre les rangs.

— C'est ça, Laura, écoute ta Maman, approuva Papa, « prudente comme le serpent et douce comme la colombe ».

— Charles! fit Maman.

Papa reprit son violon et, l'air espiègle, commença à lui jouer :

« Sait-elle faire les beignets d'c'rises, Billy boy, Billy boy?
« Sait-elle faire les beignets d'c'rises, Billy chéri? »

Le dimanche après-midi, alors que le coupé emportait Laura à tire-d'aile sur la neige inondée de soleil, Almanzo Wilder remarqua :

— Cela vous redonne vie de passer deux jours chez vous. J'ai l'impression que ce doit être joliment dur d'habiter chez les Brewster.

— C'est mon premier poste, et je n'avais jamais quitté la maison avant. Souvent, le temps me semble long. Je trouve que c'est très gentil à vous de faire tout ce trajet pour me ramener chez moi.

— C'est un plaisir, dit-il.

C'était fort poli de sa part, mais Laura ne voyait pas en quoi ce pouvait être pour lui un plaisir que de faire cette longue course dans le froid. Ils disaient à peine un mot de tout le trajet, à cause du froid, et de toute façon elle savait très bien qu'elle n'eût guère été amusante, même s'ils avaient pu parler; elle ne savait jamais très bien quoi dire aux étrangers.

Les chevaux étaient si échauffés d'avoir trotté qu'il ne fallait pas les laisser attendre un instant dans le vent froid, aussi, dès qu'ils furent arrivés à la porte des Brewster, Almanzo ne les arrêta que le temps de laisser Laura sauter rapidement à bas du traîneau. Comme ils poursuivaient leur route, Almanzo porta sa main gantée à sa casquette et cria, la voix mêlée à la musique des clochettes : « Au revoir, à vendredi! »

Laura était confuse. Jamais elle n'avait attendu de lui qu'il fît ce long parcours chaque semaine, et elle espérait qu'il ne s'y sentait pas obligé vis-à-vis d'elle. Il ne songeait sûrement pas à... eh bien, qui sait, à être son prétendant?

Elle s'était presque habituée au triste foyer de Mme Brewster. Elle n'avait qu'une chose à faire : autant que possible n'y plus penser, étudier le soir jusqu'à l'heure du coucher, faire correctement son lit le matin, avaler son petit déjeuner, essuyer la vaisselle et filer à l'école. Il ne restait plus que six semaines désormais.

Le lundi matin, la classe débuta aussi tristement qu'elle avait terminé, le vendredi précédent. Mais Laura était décidée à changer cet état de choses et elle commença sur-le-champ.

Alors que Tommy avait ânonné sa leçon de lecture, elle lui sourit et déclara :

— Il y a un mieux, Tommy, vous méritez une récompense. Cela vous ferait-il plaisir de copier votre leçon d'orthographe au tableau?

Le visage de Tommy s'éclaira d'un sourire, si bien qu'elle lui tendit le livre d'orthographe et un bâton de craie tout neuf. Quand il eut copié sa leçon, elle fit des éloges de son écriture et lui dit qu'il pouvait, maintenant, apprendre ses mots directement du tableau, et elle donna le livre à Ruby.

— Vous avez très bien lu aussi, dit-elle à

Ruby, alors voulez-vous, demain, écrire à votre tour votre orthographe au tableau?

— Oh, oui, M'dame! répondit Ruby avec enthousiasme, et Laura pensa :

— Enfin, voilà un problème résolu.

Clarence se trémoussait sur son banc, faisait tomber ses livres, tirait les cheveux de Martha, mais Laura se rappela le conseil de Maman et fit mine de ne pas le voir. La pauvre Martha ne savait pas du tout sa leçon de grammaire. Elle avait l'esprit tellement embrouillé en ce qui concernait les propositions coordonnées et subordonnées, qu'elle avait renoncé à essayer de les comprendre, et répondait seulement :

— Je ne sais pas. Je ne sais pas.

Laura fut obligée de lui dire :

— Je crois qu'il vous faudra revoir cette leçon, Martha.

Puis elle eut une inspiration subite et poursuivit :

— J'aimerais, moi aussi, revoir cette leçon. J'essaie de rester à jour avec les autres élèves de ma classe, en ville, et la grammaire est une matière difficile. Si vous voulez, nous pourrions la réviser ensemble à l'heure du déjeuner, qu'en pensez-vous?

— Oui, j'voudrais bien, répondit Martha.

Aussi, à midi, lorsqu'elles eurent terminé leur repas, Laura prit sa grammaire et demanda :

— Vous êtes prête, Martha?

Et Martha lui rendit son sourire.

C'est alors que Clarence demanda :

— C'est pour ça que vous étudiez tout le temps?

— Oui, j'étudie le soir, mais il faut que j'étudie ici aussi, répondit Laura, comme elle passait près de lui en allant au tableau.

Clarence siffla tout bas, mais Laura n'y prêta pas attention.

Au tableau, elle travailla avec Martha jusqu'à ce que cette dernière fût capable de faire, toute seule, l'analyse logique d'une phrase où figuraient diverses subordonnées.

— Ça y est, j'ai compris! s'exclama Martha. J'aurai moins peur de réciter ma grammaire maintenant.

C'était donc cela, pensa Laura; Martha redoutait à tel point la grammaire qu'elle n'arrivait pas à l'apprendre.

— Ne vous effrayez jamais d'une leçon, lui dit Laura. Je serai toujours contente d'étudier n'importe quelle leçon avec vous, si vous le désirez.

Il y avait, dans les yeux bruns de Martha, un sourire presque identique à celui d'Ida lorsqu'elle répondit :

— J'aimerais bien, quelquefois. Merci.

Laura aurait voulu ne pas être obligée d'être

la maîtresse; Martha et elle avaient le même âge, et elles auraient pu être amies.

Elle avait pris une décision quant à la façon d'agir à l'égard des leçons d'histoire de Clarence. Il était loin derrière Charles et Martha, mais elle ne lui posa aucune question à laquelle il ne pût répondre, et quand elle donna la leçon pour le lendemain, elle précisa :

— Cela ne vous concerne pas, Clarence, ce serait beaucoup trop long pour vous. Voyons, à quelle page en êtes-vous?

Quand il lui eut montré, elle poursuivit :

— Combien pensez-vous pouvoir en apprendre? Est-ce que trois, ce serait trop?

— Non, fit-il.

Il ne pouvait rien dire d'autre, ni contester.

— Alors, nous arrêterons pour aujourd'hui, conclut Laura.

Elle se demandait ce que ferait Clarence. Les conseils de Papa et de Maman donnaient de bons résultats, jusqu'à présent, mais allait-il en être de même avec lui?

Elle ne l'interrogea guère le jour suivant, pourtant, il semblait savoir ses trois pages parfaitement. Charles et Martha étaient maintenant en avance de neuf pages sur lui. Laura leur en donna sept autres à apprendre et dit à Clarence :

— Est-ce que trois autres pages, ce serait

trop? Vous pouvez étudier ça, si vous le voulez.

— J' les apprendrai, dit-il.

Et cette fois, il regarda Laura en lui adressant un sourire amical. Elle en fut si surprise qu'elle faillit lui sourire à son tour, mais elle ajouta rapidement :

— Si vous trouvez que c'est trop, étudiez-en moins.

— J' les apprendrai, répéta Clarence.

— Très bien, dit Laura. C'est fini pour aujourd'hui.

Elle s'adaptait peu à peu au déroulement des journées : un petit déjeuner silencieux dans la froidure du petit matin, le trajet jusqu'au baraquement glacial de l'école, en grelottant, l'habituel roulement de récitation des leçons, coupé à intervalles réguliers par les récréations et le déjeuner. Puis, le retour dans le froid à la maison des Brewster pour un dîner sans joie, une soirée de travail et un somme sur l'étroit canapé. Mme Brewster demeurait maussade et silencieuse en permanence; elle ne cherchait même plus que rarement querelle à M. Brewster.

La semaine passa et ce fut à nouveau vendredi. Quand les grands vinrent au bureau réciter leur leçon d'histoire, Clarence déclara :

— Vous pouvez m'interroger comme Martha et Charles. J' les ai rattrapés.

Laura s'écria, stupéfaite :

— Mais, Clarence, comment avez-vous pu?

— Si vous arrivez à étudier le soir, il n'y a pas de raison que je ne le fasse pas, dit-il.

Une fois encore, Laura fut sur le point de lui sourire. Elle aurait pu avoir tellement de sympathie pour lui, si elle n'avait pas été la maîtresse! Ses yeux bruns pétillaient tout comme les yeux bleus de Papa, mais voilà, elle était la maîtresse.

— C'est bien, remarqua-t-elle. Maintenant, vous allez pouvoir tous trois continuer ensemble.

Quatre heures sonnèrent l'arrivée de la musique des clochettes, et Clarence chuchota, assez haut toutefois :

— L'amoureux de la maîtresse!

Laura sentit le rouge lui monter aux joues, mais elle dit calmement :

— Vous pouvez ranger vos livres, la classe est terminée.

Elle eut peur que Clarence ne recommençât à crier, mais il ne le fit pas. Il était déjà bien engagé — avec Tommy et Ruby — sur le chemin qui les ramenait à la maison, quand Laura ferma la porte derrière elle et qu'Almanzo la borda une nouvelle fois sous les couvertures, dans le coupé.

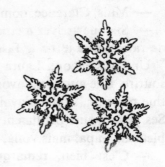

CHAPITRE 7

UN COUTEAU DANS LA NUIT

La quatrième semaine s'écoula, puis la cinquième. Il ne restait plus que quatre semaines à présent. Quoique chaque matin Laura éprouvât une sorte d'angoisse à l'idée de la journée qui l'attendait à l'école, c'était encore préférable à la maison des Brewster. Chaque après-midi, à quatre heures, elle poussait un soupir de soulagement — encore un jour qui s'était bien passé.

Il n'y avait pas encore de blizzards, mais il faisait très froid en ce mois de février. Un vent

coupant soufflait en permanence. Tous les ven-
dredis et tous les dimanches, Almanzo Wilder
avait effectué le long parcours pour la ramener
chez elle. Laura se demandait comment elle
aurait pu vivre ces semaines, sans l'heureuse
perspective du dimanche à passer à la maison.
Pourtant, elle était désolée pour Almanzo qui
faisait ces pénibles trajets pour rien.

Malgré son immense désir de rentrer chaque
semaine à la maison, elle ne voulait pas être à ce
point redevable à l'égard de quiconque. Elle
n'allait avec lui que pour pouvoir rentrer chez
elle, mais il l'ignorait. Peut-être s'attendait-il à
ce qu'elle acceptât de se promener avec lui en
traîneau, une fois qu'elle serait définitivement de
retour. Elle ne voulait pas se sentir obligée de
l'accompagner dans ses promenades, et par ailleurs, elle ne pouvait pas se montrer déloyale
vis-à-vis de lui ou le tromper. Elle se sentait le
devoir de le lui expliquer, sans bien savoir comment.

A la maison, Maman s'inquiéta de la voir
maigrie.

— Es-tu sûr d'avoir assez à manger chez les
Brewster? demanda-t-elle, soucieuse.

— Oh, oui, largement! la rassura Laura, mais
ce n'est pas aussi bon qu'ici.

— Tu sais, Laura, tu n'es pas FORCÉE de
finir tes deux mois, remarqua Papa. S'il y a

quelque chose qui te préoccupe trop, tu peux toujours revenir à la maison.

— Mais, Papa! il n'est PAS QUESTION que j'abandonne. Je n'aurais pas mon autre certificat, et de toute façon, il ne reste plus que trois semaines.

— J'ai bien peur que tu étudies trop, reprit Maman. Tu as mauvaise mine, comme si tu ne dormais pas assez.

— Je vais au lit tous les soirs à huit heures, lui assura Laura.

— Enfin, comme tu dis, il ne reste plus que trois semaines, conclut Maman.

Nul ne savait à quel point elle redoutait de retourner chez Mme Brewster. Cela ne servirait à rien de le leur dire. Le fait d'être à la maison chaque samedi la rassérénait et lui donnait du courage pour une nouvelle semaine. Malgré tout, ce n'était pas honnête de tant recevoir de la part d'Almanzo Wilder.

Ce dimanche après-midi-là, il était en train de la reconduire chez les Brewster. Ils ne parlaient presque jamais durant ces longs trajets, il faisait trop froid. Les clochettes carillonnaient, cristallines, dans l'air vif et glacé; le traîneau léger filait si vite qu'ils sentaient à peine, sur leur dos, la morsure du vent du nord qui les poursuivait. Mais Almanzo aurait à affronter ce même vent tout au long du retour vers la ville.

Ils apercevaient déjà la cabane des Brewster quand Laura se dit à elle-même : « Inutile de tergiverser », puis, à voix haute, elle déclara sans détour :

— Je ne vais avec vous que parce que je veux aller chez nous. Quand je serai rentrée définitivement, je n'irai plus avec vous. Voilà, maintenant vous êtes au courant, et si vous voulez vous épargner ces longs trajets dans le froid, vous pouvez le faire.

Les mots lui parurent atroces à mesure qu'elle les prononçait. Ils étaient durs, grossiers, odieux, et en même temps, elle réalisa soudain, avec horreur, ce que cela signifierait si Almanzo ne revenait plus la chercher. Il lui faudrait passer samedis et dimanches avec Mme Brewster.

Après un moment de saisissement, Almanzo dit calmement :

— Je vois.

Il n'était plus temps de rien ajouter. Ils étaient arrivés à la porte de Mme Brewster, et il ne fallait pas que les chevaux se refroidissent en restant immobiles. Laura descendit vivement du traîneau en disant :

— Merci.

Il porta la main à sa casquette et le coupé s'éloigna rapidement.

« Il ne reste plus que trois semaines », se répéta Laura pour elle-même, mais elle ne put s'empêcher d'être gagnée par une grande tristesse.

Le temps devint plus froid, de jour en jour, cette semaine-là. Le jeudi matin, Laura découvrit, à son réveil, que la couverture avait complètement gelé autour de son nez, durant son sommeil. Elle put à peine s'habiller, tant elle avait les doigts gourds. Dans l'autre pièce, le dessus du fourneau était chauffé au rouge, pourtant, il semblait que la chaleur fût impuissante à pénétrer le froid alentour.

Laura réchauffait ses mains engourdies au-dessus du poêle, quand M. Brewster fit soudain irruption dans la pièce, arracha ses bottes et se mit à frictionner violemment ses pieds. Mme Brewster courut auprès de lui.

— Oh, Lewis, que se passe-t-il? s'écria-t-elle, si angoissée que Laura en fut toute surprise.

— Mes pieds, dit M. Brewster. J'ai couru tout le long du chemin depuis l'école, mais je ne les sens plus.

— Laisse-moi t'aider, lui dit sa femme.

Elle cala les pieds de son mari dans le creux de sa jupe et l'aida à les frotter; elle était si inquiète à son sujet, si gentille, qu'on eût dit une autre femme.

— Oh, Lewis, cette affreuse région! s'écriat-elle. Mon Dieu, est-ce que je te fais mal?

— Continue, marmonna M. Brewster. La circulation a l'air de revenir.

Quand ils eurent sauvé ses pieds à demi gelés, M. Brewster dit à Laura de ne pas se rendre à l'école ce jour-là.

— Vous gèleriez, affirma-t-il.

— Mais les enfants vont venir, il faut que je sois là, protesta-t-elle.

— Je ne crois pas qu'ils viendront, reprit-il. J'ai fait du feu, par conséquent, si jamais ils viennent, ils pourront se réchauffer avant de repartir. Il n'y aura pas d'école aujourd'hui, dit-il d'un ton absolu.

Voilà qui tranchait la question, car une institutrice devait obéir au président du conseil d'administration de l'école.

Ce fut une longue et bien triste journée. Mme Brewster restait assise tout près du poêle, repliée sur elle-même dans une couverture, à ressasser des idées noires. M. Brewster souffrait des pieds, et Johnny, enrhumé et fiévreux, pleurnichait. Laura lava la vaisselle, fit son lit dans le froid glacial et se plongea dans ses livres. Chaque fois qu'elle tentait de parler, elle se heurtait au silence de Mme Brewster qui semblait lourd de menace.

L'heure du coucher arriva enfin. Laura espérait de tout cœur être en mesure d'aller à l'école, le lendemain. En attendant, elle pouvait échapper à cette atmosphère en allant dormir. Dans la chambre, le froid la saisit, lui coupant le souffle, et raidit ses mains, si bien qu'elle eut peine à se déshabiller. Elle resta un long moment étendue sans pouvoir dormir tant elle avait froid, puis commença peu à peu à se réchauffer.

Un cri aigu la réveilla. Mme Brewster hurlait :

— Tu m'as donné un coup de pied!

— C'est faux! répliqua M. Brewster, mais je vais l' faire, si tu n' vas pas ranger ce couteau!

Laura se dressa dans son lit. Les rayons de la lune ruisselaient au travers de la fenêtre, baignant son lit de lumière. Mme Brewster lança à nouveau un cri, un cri sauvage qui lui fit dresser les cheveux sur la tête.

— Va remettre ce couteau à la cuisine, répéta M. Brewster.

Laura risqua un œil à la jointure des rideaux. La clarté de la lune transparaissait au travers du calicot, atténuant l'obscurité, si bien que Laura vit Mme Brewster debout, là, vêtue de sa longue chemise de nuit de flanelle blanche traînant sur le plancher, ses cheveux noirs pendant sur ses épaules. Elle tenait dans sa main levée un coutelas de boucher. Jamais encore Laura n'avait été à ce point terrifiée.

— Je retournerai là-bas d'une façon ou d'une autre, menaça Mme Brewster.

— Va ranger ce couteau, commanda M. Brewster qui demeurait immobile quoiqu'il fût tendu, prêt à bondir.

— Veux-tu repartir oui ou non? demanda-t-elle.

— Tu vas mourir de froid, dit-il. Je n' vais pas revenir là-dessus à cette heure de la nuit. Je vous ai, toi et Johnny, à ma charge et rien au monde que cette cabane. Va ranger ce couteau et viens te coucher avant que tu ne gèles.

Mme Brewster crispa la main sur le manche du couteau qui cessa de trembler.

— Va le remettre à la cuisine, ordonna-t-il.

Au bout d'un moment, Mme Brewster retourna dans la cuisine. Laura ne laissa pas retomber les rideaux avant qu'elle fût revenue et se fût mise au lit. Sans bruit, elle remonta les couvertures sur elle et demeura allongée, les yeux fixés sur le rideau. Elle était terrorisée et n'osait pas dormir. Et si jamais elle se réveillait pour voir Mme Brewster penchée sur elle, le couteau à la main? Mme Brewster ne l'aimait pas, elle le savait.

Que pouvait-elle faire? La maison la plus proche se trouvait à plus de quinze cents mètres de là; elle gèlerait si elle tentait une telle expédition par ce froid. Les yeux grands ouverts, rivés sur le rideau, elle tendait l'oreille. On n'entendait plus rien, hormis le vent. La lune baissa, et Laura continua à scruter l'obscurité jusqu'à ce que parût la lueur grisâtre de l'aube hivernale. Quand elle entendit M. Brewster allumer le feu et Mme Brewster préparer le petit déjeuner, elle se leva, puis s'habilla.

Rien n'était changé. Le petit déjeuner se déroula dans le silence habituel. Dès qu'elle put s'échapper, Laura s'en fut à l'école où elle se sentait en sécurité, pour la journée. C'était vendredi.

Le vent soufflait avec fureur. Fort heureusement, ce n'était pas le vent du blizzard, mais à son passage sur les congères gelées, il arrachait de dures particules de neige qu'il poussait entre toutes les fentes des murs nord et ouest du baraquement. Le gros poêle à charbon ne semblait faire aucune impression sur le froid qui pénétrait de toutes parts.

Laura demanda aux élèves de se taire afin de commencer la classe. Bien qu'elle fût à proximité du poêle, elle avait les pieds tout engourdis et ne parvenait pas à tenir un crayon entre ses doigts. Il faisait encore plus froid, là où étaient assis les élèves.

— Il vaudrait mieux que vous remettiez vos manteaux, suggéra Laura, et que vous veniez tous près du feu. Vous pouvez, à tour de rôle, vous asseoir sur le premier banc ou rester debout près du poêle, pour vous chauffer. Tâchez d'étudier le mieux que vous pouvez.

Tout au long de la journée, la neige fut balayée à ras du sol à travers la prairie et entre les fentes des murs de la salle de classe. Une épaisse couche de glace s'était formée sur le seau d'eau, et à midi, ils durent poser leurs récipients sur le poêle, afin de dégeler la nourriture avant de la manger. Le vent ne cessait de souffler, toujours plus froid.

Cela mit un peu de baume au cœur de Laura de voir combien ils étaient tous sages. Aucun d'eux ne profitait de la situation pour ne rien faire ou se montrer indiscipliné. Pas un ne chuchotait. Tous étudiaient en cercle autour du poêle et tournaient de temps à autre leur dos à la chaleur, sans faire de bruit. Ils récitèrent parfaitement leurs leçons. Charles et Clarence, à tour de rôle, sortirent dans le vent chercher du charbon pour alimenter le feu.

Laura redoutait l'approche de la fin de la classe. Elle avait peur de regagner la maison. Elle avait sommeil et savait qu'il lui fallait dormir, et pourtant, elle appréhendait de dormir chez Mme Brewster. Toute la journée du lendemain et du dimanche, elle allait devoir rester dans cette maison, avec cette femme, et la plupart du temps, M. Brewster serait à l'étable.

Elle avait conscience qu'elle ne devait pas se laisser gagner par la peur; Papa lui avait toujours dit qu'elle ne devait jamais avoir peur. Selon toute vraisemblance, il ne se passerait rien. En fait, elle ne craignait pas vraiment Mme Brewster, car elle se savait vive et forte — c'est-à-dire, quand elle était éveillée — mais jamais elle n'avait désiré à ce point rentrer à la maison.

Elle sentait qu'elle avait eu raison de dire la vérité à Almanzo Wilder, mais elle regrettait de la lui avoir dite si tôt. De toute façon, il ne serait pas venu aussi loin, par un froid aussi cruel. Le vent soufflait, plus violent et plus froid, de minute en minute.

A trois heures et demie, ils étaient tous si

glacés qu'elle songea à les renvoyer chez eux plus tôt que de coutume; elle s'inquiétait du long trajet que Charles et Martha avaient à faire. Par ailleurs, elle ne se sentait pas le droit de priver les élèves de l'occasion qui leur était donnée de s'instruire, et ce n'était pas le blizzard.

Soudain, elle entendit des clochettes de traîneau. Elles se rapprochaient! En moins d'un instant, elles furent à la porte. Prince et Lady passèrent devant la fenêtre et Clarence s'écria :

— Ce Wilder est encore plus fou que je n' pensais de v'nir par un temps pareil!

— Vous pouvez tous ranger vos livres, annonça Laura.

Il faisait beaucoup trop froid pour laisser les chevaux attendre au-dehors.

— Le froid augmente, et plus vite chacun sera à la maison, mieux cela vaudra, ajouta-t-elle. La classe est terminée.

CHAPITRE 8

UN TRAJET GLACIAL

— Faites attention à la lanterne.

Ce furent là les seules paroles que prononça Almanzo alors qu'il aidait Laura à monter dans le coupé. Le siège était recouvert de plusieurs couvertures de cheval, dont les pans retombaient sur le fond de la caisse du traîneau. Une lanterne, posée là, brûlait sous les couvertures en peau de buffle pour chauffer le nid aménagé pour ses pieds.

Comme Laura rentrait en courant dans la maison, M. Brewster l'interpella :

— Vous n' pensez tout de même pas voyager par ce froid?

— Si, répondit-elle.

Elle ne perdit pas une minute. Dans la chambre, elle boutonna son second jupon de flanelle et enfila son autre paire de bas noirs par-dessus ses chaussures. Elle plia en deux son épais châle de laine noire, le roula deux fois autour de son visage et de sa capuche, puis en enroula les longues extrémités autour de son cou. Elle mit au-dessus son cache-nez, en croisa les bouts sur sa poitrine, et boutonna son manteau par-dessus le tout, puis elle regagna le traîneau en courant.

M. Brewster était là, qui protestait :

— Vous êtes fous tous les deux de tenter une chose pareille! Ce n'est pas prudent. Je veux qu'il passe la nuit ici, dit-il à Laura.

— Vous préférez n' pas vous y risquer? demanda Almanzo à Laura.

— Est-ce que vous rentrez? s'enquit-elle.

— Oui, il faut que je m'occupe des bêtes, dit-il.

— Alors j'y vais.

Prince et Lady partirent aussitôt, affrontant le vent qui s'engouffrait dans les multiples vêtements et coupait le souffle de Laura. Elle baissait la tête à sa rencontre, mais le sentait couler, pareil à l'eau glacée, sur ses joues et sa poitrine, et serrait les dents pour les empêcher de claquer.

Les chevaux trottaient avec ardeur; leurs sabots martelaient la neige durcie et chacune de leurs clochettes tintait gaiement. Laura leur était reconnaissante de cette vitesse, car ainsi elle serait bientôt à l'abri du froid, aussi fut-elle désolée quand, soudain, elle les vit trotter plus lentement, puis se mettre à avancer au pas. Sans doute Almanzo les faisait-il ralentir pour les reposer; il ne fallait probablement pas mener des chevaux à si vive allure, par un froid aussi mordant, pensa-t-elle.

Elle fut cependant surprise de le voir arrêter les chevaux et descendre du traîneau. Faiblement, à travers le châle noir, elle le vit s'approcher de leurs têtes penchées et l'entendit dire, tandis qu'il couvrait de ses deux mains gantées le nez de Prince :

— Attends un peu, Lady.

Au bout d'un moment, il ôta ses mains en faisant le geste de gratter, et Prince, d'un hochement, releva haut la tête et fit chanter ses clochettes. Rapidement, Almanzo fit la même chose au nez de Lady qui, à son tour, encensa. Il revint s'installer sous les couvertures, puis ils reprirent leur route.

Le châle de Laura n'était qu'une plaque de glace contre sa bouche, si bien qu'il était mal commode de parler; elle ne dit donc rien, mais demeura intriguée. Almanzo avait le visage couvert de son cache-nez jusqu'à hauteur des yeux, et sa casquette en fourrure lui descendait jusqu'aux sourcils. Son haleine gelait, déposant un liséré de givre sur la fourrure et à la limite de

son cache-nez. Il conduisait d'une seule main maintenant l'autre sous les couvertures de peau et changeant souvent pour que ni l'une ni l'autre ne gelât.

Les chevaux se mirent de nouveau à trotter

plus lentement, et, une nouvelle fois, il descendit couvrir leurs naseaux de ses mains.

— Que se passe-t-il? demanda Laura quand il fut revenu à ses côtés.

— Leur haleine gèle sur leur nez, au point qu'ils ne peuvent plus respirer, dit-il. Il faut que je la fasse fondre.

Ils ne dirent rien de plus. Laura se souvint alors des bêtes perdues dans ce blizzard d'octobre, qui avait marqué le début du Long Hiver, et qui auraient péri, étouffées par leur propre souffle, si Papa n'avait cassé la glace qui obstruait leurs naseaux.

Le froid transperçait les couvertures, faisait son chemin à travers le manteau et la robe de laine de Laura, à travers tous ses jupons de flanelle et les deux paires de bas de laine remontés par-dessus les jambes de sa chaude combinaison de flanelle. Malgré la chaleur de la lanterne, elle sentait le froid gagner ses pieds et ses jambes. Ses mâchoires serrées lui faisaient mal, et elle ressentait, au niveau des tempes, l'amorce d'une petite douleur vive.

Almanzo se pencha devant elle, remonta davantage les couvertures et les lui rentra derrière les coudes.

— Froid? demanda-t-il.

— Non, répondit Laura distinctement.

C'était là le seul mot qu'elle pût dire sans se

laisser aller à claquer des dents. Ce n'était pas vrai, mais il comprenait ce qu'elle voulait dire, à savoir qu'elle n'avait pas froid au point de ne plus pouvoir le supporter. Que faire? sinon continuer; Laura savait fort bien qu'il avait froid, lui aussi.

Il arrêta, une fois encore, les chevaux et descendit dans le vent pour faire fondre la glace plaquée sur leur nez. Les clochettes recommencèrent à sonner, mais ce son paraissait, à présent, aussi cruel que le vent impitoyable. Bien que le châle obscurcît sa vision des choses, elle se rendait compte que le soleil brillait de tout son éclat sur la blanche prairie.

Almanzo remonta dans le traîneau.

— Ça va? dit-il.

— Oui.

— Il faut que je m'arrête tous les trois kilomètres. Ils ne peuvent pas en faire plus, expliqua-t-il.

Laura sentit son cœur chavirer; ainsi, ils n'avaient fait que dix kilomètres! Il y en avait dix autres encore. Ils repartirent à vive allure, luttant contre le vent coupant. En dépit de tous ses efforts, Laura tremblait des pieds à la tête. Elle avait beau serrer ses genoux l'un contre l'autre, ils ne cessaient de trembler. La lanterne posée à ses pieds, sous les couvertures en fourrure, ne semblait apporter aucune chaleur.

La douleur qu'elle ressentait aux tempes s'accentuait, et une crampe se nouait au creux de son estomac.

Le temps lui parut long avant que les chevaux ne ralentissent de nouveau, et qu'Almanzo ne les arrêtât. Les clochettes retentirent, tout d'abord celles de Prince, puis celles de Lady. Almanzo fut malhabile à remonter dans le traîneau.

— Vous allez bien? demanda-t-il.

— Oui.

Elle s'habituait peu à peu au froid, il lui faisait moins mal. Seule la douleur qu'elle éprouvait au creux de l'estomac continuait à se préciser, moins vive toutefois. La voix du vent, des clochettes et le crissement des patins du traîneau sur la neige se mêlaient en un son monotone, plutôt plaisant. Elle eut conscience qu'Almanzo sortait du traîneau pour dégeler une fois de plus le nez des chevaux, mais tout prenait l'apparence d'un rêve.

— Ça va? dit-il.

Elle fit un signe de tête; c'était trop compliqué de parler.

— Laura! s'écria-t-il.

Il la saisit par l'épaule et la secoua légèrement. Cela lui fit mal et lui fit de nouveau sentir le froid.

— Envie de dormir?

— Un peu, répondit-elle.

— Ne vous endormez pas. Vous m'entendez?

— Je ne dormirai pas.

Elle comprenait ce qu'il voulait dire, car si vous vous laissez aller à dormir par un tel froid, vous gelez au point d'en mourir.

Les chevaux s'arrêtèrent à nouveau.

— Vous arrivez à tenir?

— Oui, dit-elle.

Il alla ôter la glace du nez des chevaux et dit, une fois revenu :

— Ce n'est plus loin, maintenant.

— C'est bien, fit Laura, sachant qu'il attendait d'elle une réponse.

Bien qu'elle s'efforçât de garder les yeux grands ouverts, de longues et chaudes vagues de

somnolence ne cessaient de la gagner. Elle secouait la tête, aspirait de brûlantes gorgées d'air et luttait pour rester éveillée, mais une autre vague de somnolence arrivait, puis une autre. Souvent, lorsqu'elle était trop lasse pour

pouvoir résister plus longtemps, la voix d'Almanzo venait à son aide; elle l'entendait
demander :

— Ça va?

— Oui, répondait-elle.

Elle restait éveillée un instant, percevait de
façon distincte le son des clochettes du traîneau,
puis une autre arrivait.

Elle l'entendit s'exclamer :

— Nous y voici!

— Oui, répondit-elle.

Soudain, elle réalisa qu'ils étaient arrivés à la
porte donnant sur l'arrière de la maison. Le
vent, dont la force était brisée par le bâtiment
situé de l'autre côté de la rue, y soufflait avec
moins de violence. Almanzo souleva les couvertures; Laura essaya de sortir du traîneau, mais
fut incapable de se lever du siège tant ses
membres étaient raides.

La porte s'ouvrit en un éclair, et Maman la
saisit en s'écriant :

— Mon Dieu! es-tu gelée?

— Je crains bien qu'elle n'ait eu très froid,
remarqua Almanzo.

— Allez mettre ces chevaux à l'abri avant
qu'ils ne gèlent, recommanda Papa. Nous allons
nous occuper d'elle.

Les clochettes s'éloignèrent avec les ailes du
vent, tandis que Laura, soutenue par Papa et

Maman, entrait d'un pas trébuchant dans la cuisine.

— Ote-lui ses chaussures, Carrie, dit aussitôt Maman.

Elle enleva, d'un bloc, le châle de Laura et sa capuche de laine tricotée, collés l'un à l'autre par le gel de sa respiration.

— Tu as le visage rouge, constata Maman avec soulagement. Dieu soit loué, il n'est pas blanc et gelé.

— Je suis engourdie, c'est tout, remarqua Laura.

Ses pieds n'étaient pas gelés, eux non plus, et pourtant, elle sentait à peine que Papa les lui frictionnait. A présent qu'elle se trouvait dans la pièce bien chauffée, elle se mit à trembler de la tête aux pieds et à claquer des dents. Tandis qu'elle buvait le thé au gingembre brûlant que Maman lui avait préparé, elle s'était assise tout contre le poêle et, cependant, n'arrivait pas à se réchauffer.

Elle avait eu froid pendant trop longtemps, en réalité, depuis qu'elle avait quitté son lit, au matin. Dans la froide cuisine des Brewster, la place qu'elle occupait à la table était proche de la fenêtre et la plus éloignée du fourneau. Puis, il y avait eu la longue marche vers l'école, à travers la neige, avec le vent qui la fouettait et qui s'engouffrait sous ses jupes, l'interminable journée au froid dans la salle de classe et enfin le long trajet en traîneau pour rentrer. Mais elle n'avait aucune raison de se plaindre, car, maintenant, elle était à la maison.

— Tu as risqué gros, Laura, observa Papa d'un air grave. J'ignorais que Wilder s'en allait, je ne l'ai su qu'une fois qu'il était parti, et j'étais persuadé, alors, qu'il passerait la nuit chez les Brewster. Il faisait — 40° quand ce tout fou s'est mis en route, et, peu après, le mercure gelait dans le thermomètre. Le froid n'a pas cessé d'empirer depuis. Qui sait combien il fait maintenant !

— Tout est bien qui finit bien, répondit Laura d'un rire tremblant.

Elle avait l'impression que jamais elle ne se réchaufferait, mais c'était merveilleux de pouvoir dîner dans l'accueillante cuisine et de dormir ensuite, en sûreté, dans son propre lit. Elle se réveilla pour trouver le temps en voie d'amélioration. Papa annonça, au petit déjeuner, que la température approchait — 29° ; le coup de froid était passé.

Le dimanche matin, à l'église, Laura songea combien elle avait été ridicule de s'être laissée aller à tant de tristesse et de frayeur. Il ne restait plus que deux semaines, après quoi, elle pourrait revenir à la maison pour toujours.

L'après-midi même, alors qu'Almanzo la

reconduisait chez les Brewster, elle le remercia de l'avoir ramenée chez elle cette semaine-là.

— Inutile de remercier, vous saviez que je le ferais, dit-il.

— Mais non, je vous assure, répondit-elle, sincère.

— Pour qui me prenez-vous? Croyez-vous que je sois du genre à vous laisser là-bas, chez les Brewster, alors que vous avez un tel cafard, tout simplement parce que je n'ai rien à attendre en retour?

— Mais, je... et Laura se tut.

En vérité, elle ne s'était guère interrogée, à savoir quel genre de personne il était. Il était tellement plus âgé qu'elle! Et c'était un fermier.

— Pour être franc, poursuivit-il, je ne savais pas si j'allais, oui ou non, risquer le voyage. Toute la semaine, je m'étais dit que je viendrais vous chercher, mais quand j'ai vu le thermomètre, j'ai bien failli y renoncer.

— Pourquoi ne l'avez-vous pas fait? demanda Laura.

— Eh bien, je commençais à partir avec le coupé, quand je me suis arrêté devant chez Fuller pour regarder le thermomètre. Le mercure était complètement descendu, en dessous de — 40°, et le vent soufflait, de plus en plus froid. Cap Garland passait juste à ce moment-là, il m'a vu là, prêt à aller vous chercher et en train

113

de regarder le thermomètre. Alors il l'a regardé, et vous savez cette façon qu'il a de sourire? Eh bien, juste comme il entrait chez Fuller, il m'a seulement crié par-dessus son épaule : « Dieu déteste les froussards. »

— Alors vous êtes venu juste parce que vous vouliez relever le défi? s'enquit Laura.

— Non, ce n'était pas un défi. J'ai estimé, tout simplement, qu'il avait raison.

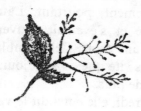

CHAPITRE 9

LA VISITE DE L'INSPECTEUR

« A chaque jour suffit sa peine », pensa Laura en pénétrant dans la maison. Ici, tout allait encore de travers. Mme Brewster ne parlait pas, Johnny était toujours aussi pitoyable et M. Brewster restait le plus longtemps possible à l'étable. Ce soir-là, pendant qu'elle étudiait, Laura dessina quatre croix sur son agenda, une pour le lundi, pour le mardi, pour le mercredi et une pour le jeudi. Chaque soir, elle en barrerait une, et quand toutes seraient barrées, il ne resterait plus qu'une semaine.

Le froid s'intensifiait à nouveau de jour en jour, sans qu'il y eût toutefois de blizzard. Les nuits s'écoulaient calmement, pourtant, Laura ne dormait qu'à moitié et s'éveillait souvent. Chaque soir, elle biffait une croix. Cela semblait faire passer le temps plus vite que de se réjouir à l'idée de barrer un jour de plus.

Toute la nuit du mercredi, elle entendit le vent souffler et la neige battre contre la vitre et craignit qu'il n'y eût pas d'école le lendemain. Mais, au matin, le soleil brillait, bien qu'il fût sans chaleur. Un vent âpre chassait la neige en tourbillons bas à travers la prairie, et Laura l'affronta avec joie, tandis qu'elle se rendait au baraquement de l'école, frayant à nouveau son chemin au milieu des congères.

La neige s'engouffrait entre les interstices, et une fois encore, Laura autorisa ses élèves à venir se placer auprès du poêle pour étudier. Peu à peu, cependant, le poêle chauffé au rouge tempéra si bien la pièce qu'à l'heure de la récréation le souffle de Laura était à peine visible, même au tout dernier rang, là où se trouvait le pupitre de Clarence. Quand le quart d'heure fut écoulé, elle déclara :

— La pièce est plus chaude, maintenant. Vous pouvez reprendre vos places.

A peine s'étaient-ils assis, qu'on entendit soudain frapper à la porte. Qui cela pouvait-il

116

être? s'étonna Laura. Tout en se hâtant d'aller ouvrir, elle jeta un coup d'œil par la fenêtre, mais on ne voyait rien. Debout dans l'encadrement de la porte apparut M. Williams, l'inspecteur des écoles primaires du comté.

Ses chevaux, protégés de couvertures, étaient à l'attache à l'un des angles du baraquement. Le bruit de leur arrivée, étouffé par la neige poudreuse, était passé inaperçu, et, par ailleurs, ils n'avaient pas de clochettes.

Laura allait être inspectée, aussi fut-elle on ne peut plus heureuse que les élèves fussent à leurs places. M. Williams lui sourit avec amabilité comme elle lui offrait sa chaise, à côté du poêle brûlant. Les élèves, penchés sur leur travail, s'appliquaient tous à étudier, mais Laura sentait combien ils étaient tendus et sur le qui-vive. Elle était elle-même si émue qu'elle avait du mal à parler d'une voix calme et posée.

Cela l'encouragea de voir que chacun s'efforçait de faire de son mieux pour l'aider. Charles lui-même fit un effort et se surpassa. M. Williams demeura assis à les écouter réciter leurs leçons, les unes après les autres, tandis que le vent grondait et soufflait à ras du sol et que la neige s'amoncelait entre les fentes des murs.

Charles leva le doigt pour demander :

— S'il vous plaît, est-ce que je peux venir me chauffer près du fourneau?

Laura répondit qu'il pouvait et, sans penser à en demander l'autorisation, Martha le suivit, car tous deux se partageaient le même livre. Quand leurs mains furent réchauffées, ils regagnèrent leurs sièges, sans faire de bruit, mais sans en demander la permission, ce qui ne fut pas un bon point pour la discipline qu'exerçait Laura.

Peu avant midi, M. Williams déclara qu'il lui fallait s'en aller. Laura dut alors lui demander s'il souhaitait parler aux élèves.

— Oui, en effet, fit-il d'un ton sévère, comme il se redressait de toute la hauteur de son mètre quatre-vingt-cinq.

Le cœur de Laura cessa de battre. Qu'avait-elle fait de mal? se demandait-elle, éperdument.

Debout, la tête touchant presque le plafond, il garda un moment le silence, comme pour donner plus de poids à ce qu'il s'apprêtait à dire, puis déclara :

— Quoi que vous fassiez, *gardez vos pieds au chaud*.

Il leur sourit à tous, puis à Laura, une fois encore, et partit après lui avoir donné une chaleureuse poignée de main.

A midi, Clarence vida le seau de charbon dans le poêle et sortit dans le froid le remplir à nouveau. Il revint en disant :

— On aura besoin d'en remettre dans le feu avant ce soir. Le froid augmente rudement.

Tous se groupèrent auprès du poêle pour manger leur repas froid. Quand ce fut l'heure de reprendre la classe, Laura les invita à venir près du feu, avec leurs livres.

— Vous pouvez rester près du feu ou vous déplacer, comme il vous plaira. Dans la mesure où vous ne faites pas de bruit et où vous apprenez vos leçons, ceci sera la règle, tant que le froid durera.

Cette organisation donna d'excellents résultats. Les leçons étaient mieux sues que jamais, et le silence régnait dans la pièce, tandis qu'ils étudiaient et gardaient leurs pieds au chaud.

CHAPITRE 10

ALMANZO FAIT SES ADIEUX

Le samedi soir, à la maison, Maman se montra inquiète au sujet de Laura.

— Est-ce que tu nous couves quelque chose? dit-elle, soucieuse. Cela ne te ressemble pas de dormir à moitié sur ta chaise.

— Je me sens un peu fatiguée. Ce n'est rien, Maman.

Papa leva les yeux de son journal :

— C'est ce Clarence qui fait encore des siennes?

— Oh, non, Papa! Il travaille à merveille, et ils sont tous aussi gentils que possible.

Ce n'était pas à proprement parler un mensonge, mais elle ne pouvait leur raconter l'incident concernant Mme Brewster et le couteau. S'ils venaient à connaître cette histoire, ils ne la laisseraient pas repartir, et il fallait absolument qu'elle terminât son stage à l'école. Un professeur ne pouvait pas s'en aller ainsi en laissant la période scolaire inachevée. Si elle abandonnait, elle ne mériterait pas d'obtenir un autre certificat, et plus aucun conseil d'administration d'école ne lui offrirait de poste.

Elle fit donc un plus grand effort encore pour leur cacher son manque de sommeil et son appréhension à l'idée de regagner le foyer des Brewster. Il ne restait plus qu'une semaine.

Le dimanche après-midi, la température s'était adoucie; le thermomètre n'indiquait plus que — 26° quand Almanzo et Laura se mirent en route. Le vent soufflait à peine et le soleil brillait de son plus vif éclat.

Dans un moment de silence, la voix de Laura s'éleva :

— Plus qu'une semaine encore, et quand elle sera finie, je serai tellement contente!

— Les promenades en traîneau vont peut-être vous manquer, insinua Almanzo.

— Celle-ci est agréable, mais il fait vraiment très froid le plus souvent. J'imagine que vous serez content de ne plus aller aussi loin. Je me demande pourquoi vous avez commencé à faire ces longs trajets! Vous n'y étiez pas obligé, comme je l'étais moi, pour rentrer chez vous.

— Oh, on en a quelquefois assez de rester assis à ne rien faire. Ce n'est pas forcément très drôle pour deux vieux célibataires d'être toujours tout seuls.

— Mais, voyons, il y a des tas de gens en ville! Votre frère et vous n'êtes pas obligés de rester tous les deux seuls, s'étonna Laura.

— Il ne s'est rien passé en ville depuis la fête de l'école, objecta Almanzo. Il n'y a rien d'autre à faire que de perdre son temps au cabaret, à jouer aux jeux d'argent, ou dans une des boutiques, à regarder les autres jouer aux dames. On préfère parfois être en meilleure compagnie, même si on a froid en conduisant le traîneau.

Laura n'avait pas songé à sa personne en tant que compagnie agréable. Si c'est cela qu'il recherchait, se dit-elle, il lui faudrait faire un effort pour être plus gaie. Mais rien ne lui venait à l'esprit qui fût amusant à dire. Elle essaya de penser à quelque chose, cependant qu'elle admirait les chevaux, à la robe brune et luisante, qui trottaient si allègrement.

Leurs pieds délicats repoussaient la neige en parfaite cadence, et leur ombre bleutée courait à leurs côtés. Comme ils étaient gais à voir, encensant pour faire carillonner leurs clochettes, dressant leurs oreilles d'avant en arrière, humant la brise qui faisait ondoyer leur noire crinière! Laura respira profondément, puis s'exclama :

— Que c'est beau!

— Qu'est-ce qui est beau? fit Almanzo, surpris.

— Les chevaux, regardez-les!

Au même instant, Prince et Lady rapprochèrent leurs naseaux, comme pour se murmurer un secret, puis, d'un commun accord, tentèrent de prendre le galop.

Quand, d'une main douce mais ferme, Almanzo les eut ramenés au trot, il proposa :

— Cela vous plairait-il de les conduire?

— Oh! s'écria Laura avec enthousiasme.

Mais elle dut ajouter pour être honnête :

— Papa ne me permet pas de conduire ses chevaux. Il prétend que je suis trop petite, et que je risquerais de me faire du mal.

— Prince et Lady seraient incapables de faire du mal à qui que ce soit, assura Almanzo. Je les ai élevés moi-même. Mais si vous les trouvez beaux, je voudrais que vous ayez vu le premier cheval que j'ai élevé : Starlight. Je l'avais surnommé ainsi à cause de l'étoile blanche qu'il portait sur le front.

Son père lui avait offert Starlight lorsqu'il avait neuf ans et vivait là-bas, dans l'Etat de New York. Il conta à Laura comment il avait apprivoisé Starlight, qui n'était encore qu'un poulain, comment il l'avait rendu docile et quel beau cheval il était devenu. Starlight les avait suivis plus à l'ouest, dans le Minnesota, et quand Almanzo s'était aventuré pour la première fois vers les prairies de l'Ouest, il y était venu en montant Starlight. Celui-ci était alors âgé de neuf ans quand Almanzo s'en était retourné avec lui jusqu'à Marshall, dans le Minnesota, cent soixante-dix kilomètres en un seul jour ; et Starlight était arrivé si fringant qu'il avait essayé de lutter de vitesse avec un autre cheval, à la fin du voyage.

— Où est-il maintenant ? demanda Laura.

— De retour à la ferme de Père, dans le Minnesota. Il y est au vert, expliqua Almanzo. Il n'est plus aussi jeune maintenant, et ici, j'ai besoin d'un double attelage, si bien que je l'ai rendu à Père.

Le temps avait passé si rapidement que Laura fut surprise d'apercevoir, au loin, la maison des Brewster. Malgré ses efforts pour garder courage, elle sentit le cœur lui manquer.

— Que vous arrive-t-il ? Vous êtes si silencieuse tout à coup, lui demanda Almanzo.

— Je me disais que si seulement nous allions dans la direction opposée, dit Laura tristement.

— Nous le ferons vendredi prochain.

Il força les chevaux à ralentir et ajouta :

— Nous pouvons retarder un peu l'arrivée.

Laura réalisa alors qu'il comprenait, de façon ou d'autre, combien elle redoutait de pénétrer dans cette maison.

— A vendredi, donc! dit-il.

Et comme il s'éloignait, il lui adressa un sourire encourageant.

La semaine s'écoula, jour après jour, nuit après nuit, jusqu'à ce qu'il n'y eût plus qu'une nuit encore à endurer. Demain serait vendredi, le dernier jour d'école. Quand cette nuit-là et cette journée-là seraient passées, elle retournerait à la maison pour toujours.

Comme elle eut peur que quelque chose n'arrivât au cours de cette dernière nuit! A maintes reprises, elle se réveilla en sursaut, mais tout était calme et son cœur qui battait à tout rompre s'apaisa peu à peu.

Le vendredi, tous les élèves, sans exception, surent particulièrement bien leurs leçons et mirent un point d'honneur à bien se tenir.

Après la récréation de l'après-midi, Laura les fit asseoir et leur annonça qu'ils s'en tiendraient là pour les leçons et qu'ils pourraient partir plus tôt, car c'était le dernier jour.

Comme il lui fallait faire un petit discours d'adieu, elle les félicita pour le travail qu'ils avaient accompli.

« Vous avez su tirer profit de l'occasion qui

vous était donnée de venir à l'école. Je souhaite que chacun d'entre vous puisse recevoir plus d'instruction. Toutefois, dans le cas contraire, il vous est possible d'étudier chez vous, comme Lincoln l'a fait. Cela vaut la peine de faire des efforts pour s'instruire. S'il ne vous est pas possible de recevoir beaucoup d'aide dans ce domaine, vous pouvez, néanmoins, acquérir beaucoup de connaissances par vous-mêmes, si vous essayez. »

Elle donna ensuite à Ruby l'une de ses cartes de visite en fin bristol de couleur rose pâle où figurait son nom en lettres d'imprimerie, sous l'arrondi d'un brin de roses et de bleuets. Elle y avait inscrit, au dos :

« A Ruby Brewster. de la part de son institutrice

Avec son bon souvenir. Ecole de Brewster. Février 1883. »

Vint ensuite Tommy, puis Martha et Charles et enfin, Clarence. Ils étaient tous si contents! Laura leur laissa un moment le plaisir de regarder les jolies cartes puis de les placer dans leurs manuels de lecture. Elle leur recommanda, ensuite, de préparer leurs livres, ardoises et crayons afin de les rapporter à la maison et dit, pour la dernière fois :

— La classe est terminée.

C'est alors qu'elle éprouva la plus grande

surprise qu'elle eût jamais eue, car, au lieu d'enfiler leurs manteaux et leurs bonnets, comme elle s'y attendait, tous s'avancèrent vers son bureau. Martha lui fit don d'une magnifique pomme rouge; Ruby lui donna, timidement, un petit gâteau que sa maman avait confectionné en guise de présent; Tommy, Charles et Clarence lui offrirent, chacun, un crayon neuf qu'ils avaient taillés comme il faut pour elle.

Elle ne savait comment les remercier, mais Martha lui dit :

— C'est nous qu'on... je veux dire, c'est nous qui vous remercions. Mlle Ingalls. Merci de m'avoir aidée pour la grammaire.

— Merci, dit Ruby à son tour. J'aurais bien aimé que le gâteau soit glacé au sucre.

Les garçons ne dirent rien, mais quand tout le monde fut parti après avoir fait ses adieux, Clarence revint dans la classe.

Debout, appuyé contre la table de Laura, il baissa les yeux sur sa casquette, qu'il tenait entre ses mains, et marmonna :

— Je regrette d'avoir été si méchant.

— Voyons, Clarence! Tout va très bien! s'exclama Laura. Vous avez très, très bien travaillé, je suis fière de vous.

Il la regarda de son petit air mutin et sortit comme un boulet de canon en claquant la porte, au point que le baraquement en trembla.

Laura nettoya le tableau et balaya le plancher. Elle mit en piles les livres et les cahiers, ferma le tirage du poêle, puis endossa son manteau, releva sa capuche et attendit debout à la fenêtre la venue de Prince et Lady qui, accompagnés du carillon de leurs clochettes, s'arrêtèrent bientôt devant la porte.

L'école était finie, elle rentrait définitivement à la maison! Elle avait le cœur si léger qu'elle avait envie de chanter de concert avec les clochettes du traîneau; aussi rapide que fût le trot des chevaux, il lui paraissait lent.

— C'est inutile de pousser, vous n'y arriverez pas plus vite, dit Almanzo à un moment.

Elle éclata d'un rire joyeux quand elle constata, qu'en effet, elle poussait les pieds de toutes ses forces contre le garde-boue du coupé. Almanzo ne parlait guère, elle non plus, d'ailleurs; elle rentrait à la maison, et c'était suffisant.

Ce n'est qu'après l'avoir gentiment remercié et lui avoir souhaité le bonsoir qu'elle se souvint, alors qu'elle était dans la salle de séjour en train d'ôter ses vêtements d'extérieur, qu'il n'avait pas dit : « Bonsoir ». Il n'avait pas dit : « A dimanche après-midi », comme il l'avait toujours fait auparavant. Il avait dit :

— Adieu.

Bien sûr, pensait-elle, c'était un adieu. Cela avait été leur dernière promenade en traîneau.

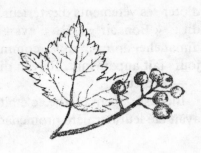

CHAPITRE II

CLOCHETTES TINTINNABULEZ

Le réveil, le lendemain, fut plus joyeux qu'un matin de Noël. « Oh, je suis chez nous! » pensa Laura, puis elle appela :

— Carrie! Bonjour! Réveille-toi, petit loir!

Le cœur éclatant de joie, elle s'habilla en frissonnant et courut à pas légers boutonner ses bottines et peigner ses cheveux, en bas, dans la cuisine que réchauffait un bon feu et où Maman préparait le petit déjeuner.

— Bonjour, Maman! s'écria Laura en chantant.

— Bonjour, répondit Maman avec le sourire. Je trouve que tu as déjà meilleure mine.

— Il fait bon être ici. Bien, que vais-je faire en premier?

Toute la matinée, elle fut occupée à aider aux tâches ménagères propres au samedi. Alors que d'ordinaire elle n'aimait pas sentir le contact de la farine sur ses mains, aujourd'hui, elle prenait plaisir à pétrir la pâte à pain, heureuse à la pensée qu'elle serait là pour savourer les miches toutes fraîches et dorées. Son cœur chantait en même temps que ses lèvres; elle n'allait plus jamais retourner chez les Brewster.

C'était une journée merveilleusement ensoleillée et l'après-midi, quand tout le travail fut terminé, Laura eut l'espoir que Mary Power viendrait bavarder avec elle, en faisant du crochet. Maman se balançait doucement, tout en tricotant, auprès de la fenêtre inondée de soleil, Carrie assemblait les carrés de sa courte-pointe, mais Laura, sans bien savoir pourquoi, ne parvenait pas à se fixer à une occupation. Mary n'arrivait pas, et Laura venait à peine de décider de s'habiller pour aller lui rendre visite, quand elle entendit des clochettes de traîneau.

Pour quelque vague raison, son cœur bondit, mais comme elles passaient rapidement devant la maison, les clochettes ne tintèrent que faiblement. Il n'y en avait que quelques-unes, rien de comparable aux somptueux chapelets de clochettes que portaient Prince et Lady. Leur musique ne s'était pas encore évanouie que, déjà, d'autres passaient la maison en tintant, et bientôt, du haut en bas de la rue, le son argentin d'innombrables petites cloches illumina le silence.

Laura courut à la fenêtre et vit Minnie Johnson et Fred Gilbert passer, rapides comme l'éclair, puis Arthur Johnson, en compagnie d'une jeune fille qu'elle ne connaissait point. La musique pleine d'un double chapelet de clochettes se fit entendre aussitôt, et Mary Power et Cap Garland passèrent en trombe dans un coupé. Ainsi, voilà ce que faisait Mary. Le traîneau de Cap, tout comme celui d'Almanzo, était un coupé garni d'une multitude de clochettes. Le rire aux lèvres, les couples de plus en plus nombreux allaient et venaient dans la rue, passant et repassant devant la fenêtre où se tenait Laura.

Elle finit par s'asseoir et faire tranquillement son ouvrage au crochet. Tout était paisible et bien ordonné dans le petit salon. Personne ne vint rendre visite à Laura. Elle avait été partie si longtemps que, sans doute, plus personne ne pensait à elle. Inlassablement, les clochettes passaient en carillonnant; ses compagnes de classe allaient et venaient dans la rue, riant dans l'air froid et ensoleillé, s'amusant follement ; Mary Power et Cap Garland passaient et repassaient sans cesse à la vitesse du vent, dans un coupé fait pour deux.

Enfin, pensait Laura, elle verrait Ida le lendemain à l'école du dimanche. Mais ce dimanche-là, Ida fut absente à l'église ; Mme Brown fit savoir qu'elle avait attrapé un mauvais rhume.

Le dimanche après-midi, le temps était plus radieux encore que la veille. Les clochettes sonnaient à nouveau et le vent portait les rires. Mary Power et Cap étaient de nouveau là, ainsi que Minnie et Fred, Frank Harthorn et May Bird, et tous les nouveaux venus que Laura connaissait à peine. Ils passaient gaîment devant la maison, deux par deux, riant et chantant au son des cloches carillonnantes. Nul ne se souvenait de Laura. Tous l'avaient oubliée.

Sagement, elle entreprit de lire les poèmes de Tennyson, s'efforçant de ne pas prendre à cœur le fait d'être oubliée et exclue, s'efforçant de ne pas entendre la musique et les rires, mais elle sentait, de plus en plus, qu'elle ne pouvait le supporter.

Soudain, un carillon se fit entendre à la porte ! Avant même que Papa ait eu le temps de lever les yeux de son journal, Laura l'avait ouverte — Prince et Lady attendaient, là, avec le petit coupé, et debout, à côté, Almanzo souriait.

— Vous plairait-il de faire une promenade en traîneau? demanda-t-il.

— Oh, oui! s'écria Laura. J'arrive, je vais m'habiller.

Elle enfila rapidement son manteau et mit sa capuche blanche et ses moufles. Almanzo la borda dans le coupé et tous deux s'éloignèrent vivement.

— Je ne savais pas que vous aviez les yeux si bleus, remarqua Almanzo.

— C'est parce que j'ai ma capuche blanche, dit Laura. Je portais toujours la noire pour aller à Brewster.

Elle eut un sursaut et se mit à éclater de rire.

— Qu'y a-t-il de si drôle? lui demanda Almanzo en souriant.

— Je suis bien attrapée, répondit Laura. Je ne comptais plus aller avec vous, mais j'ai oublié. Pourquoi êtes-vous venu?

— J'ai pensé que vous changeriez peut-être d'avis en voyant tous ces gens passer, confia-t-il.

Alors tous deux rirent en chœur.

Le leur était l'un des nombreux coupés et des nombreux traîneaux qui, les uns derrière les autres, filaient tout le long de la Grand-Rue, décrivaient un rapide demi-cercle vers le sud, sur la prairie, remontaient la Grand-Rue à toute allure pour tourner vers le nord et recommencer

sans fin leur va-et-vient. A perte de vue, le
paysage immaculé étincelait sous les rayons du
soleil, et, sur leurs visages, ils sentaient le souffle
froid du vent. Les clochettes sonnaient, les
patins des traîneaux crissaient sur l'épaisse neige

durcie et Laura était si heureuse qu'elle ne put s'empêcher de chanter :

> « *Clochettes, clochettes*
> *Tintinnabulez !*
> *Comme il fait bon de glisser*
> *Dans un si joli coupé.* »

Tout au long de la file, d'autres voix se mêlèrent à la sienne. Virevoltant sur la vaste prairie, remontant rapidement la rue, débouchant sur la prairie pour repartir encore, les clochettes allaient, tintant, et les voix montaient dans l'air glacé :

> « *Clochettes, clochettes*
> *Tintinnabulez !* »

Ils ne s'éloignaient guère de la ville, si bien qu'ils étaient tout à fait à l'abri du blizzard. Le vent soufflait sans être trop fort, et tous étaient on ne peut plus heureux, car la température n'était plus qu'à —29°, et le soleil brillait.

CHAPITRE 12

ON EST NULLE PART SI BIEN QUE CHEZ SOI

C'est avec joie que Laura prit le chemin de l'école avec Carrie, le lundi matin. Comme elles avançaient avec précaution entre les ornières verglacées qui sillonnaient la rue, Carrie eut un soupir de contentement et dit :

— Il fait bon aller de nouveau ensemble à l'école ; ce n'était pas pareil en ton absence.

— Tu sais, je ressens la même chose que toi.

Quand elles pénétrèrent dans la salle de classe, Ida s'exclama joyeusement :

— Tiens ! bonjour, Maîtresse !

137

Toutes s'écartèrent du poêle pour venir entourer Laura.

— Quel effet ça te fait de revenir toi-même à l'école? demanda Ida.

Elle avait le nez gonflé et rougi par le froid, mais ses yeux bruns étaient toujours aussi rieurs.

— Ça me fait l'effet que c'est *formidable*.

Et tout en disant ces mots, elle serra affectueusement la main d'Ida, cependant que toutes les autres manifestaient leur joie de la revoir. Nellie Oleson elle-même semblait bienveillante.

— Ça t'a fait pas mal de promenades en traîneau, remarqua-t-elle. Maintenant que tu es rentrée, peut-être que tu en emmèneras certaines d'entre nous avec toi.

— Peut-être, répondit simplement Laura.

Elle se demandait bien ce que tramait Nellie, à présent. Puis M. Owen quitta son bureau pour venir la saluer.

— Nous sommes contents de vous avoir de nouveau parmi nous, dit-il. J'ai entendu dire que vous aviez fait du bon travail avec votre classe.

— Merci, Monsieur, répondit Laura. Je suis contente de me retrouver ici.

Elle brûlait d'envie de lui demander qui lui avait parlé d'elle, mais ne le fit pas, bien sûr.

Au début de la matinée, Laura, qui craignait d'avoir pris du retard sur ses compagnes, éprouva quelque peu d'inquiétude, mais elle

découvrit bientôt que non seulement elle n'avait pas pris de retard, mais se trouvait en avance sur les autres. Les récitations n'étaient toutes que des révisions de leçons qu'elle avait apprises au cours des tristes soirées passées chez les Brewster. Elle les savait toutes parfaitement et menait toujours la tête de la classe, haut la main; aussi se sentit-elle confiante et heureuse jusqu'à l'heure de la récréation.

C'est alors que ses compagnes commencèrent à parler de leur rédaction, et Laura apprit que M. Owen leur avait donné à faire, pour le jour même, une rédaction sur le thème de : l'ambition.

Les élèves de sa classe allaient être appelées au bureau pour lire leur devoir, dès après la récréation. Laura fut prise de panique; jamais encore elle n'avait fait de dissertation, et voilà qu'il lui fallait faire en quelques minutes ce à quoi les autres avaient travaillé depuis la veille. Toutes avaient traité le sujet à la maison, et Mme Brown, qui participait à la rédaction du bulletin paroissial, avait aidé Ida, si bien que son devoir serait bon.

Laura n'avait pas la moindre idée de la façon

dont il fallait commencer. Elle ne savait rien à propos de l'ambition La seule pensée qui lui venait à l'esprit était qu'elle allait être la dernière d'une classe dont elle avait toujours été la tête. Il ne fallait pas que ce fût un échec, ce n'était pas possible, et ce ne le serait pas. Mais, comment faisait-on une dissertation? Il ne restait plus que cinq minutes.

Elle se surprit en train de regarder la couverture de cuir jaune du dictionnaire, placé sur l'étagère, à côté du bureau de M. Owen. Peut-être qu'en lisant la définition de l'ambition, une idée lui viendrait, pensa-t-elle. Elle tourna à la hâte les pages du A, sans conviction, mais la définition s'avéra intéressante. De retour à sa table, elle écrivit le plus vite qu'elle le put et écrivait encore fébrilement quand les élèves regagnèrent leurs places. Malheureusement, elle trouvait son devoir mauvais, mais elle n'avait plus le temps de recommencer ni de rien ajouter, car déjà, M. Owen appelait les élèves au bureau.

L'une après l'autre, à mesure qu'il leur donnait la parole, ses compagnes lisaient leur devoir, et Laura sentait son cœur se serrer. Tous paraissaient meilleurs que le sien. M. Owen dit enfin : « Laura Ingalls » et, dans un bruissement d'étoffes, toutes se tournèrent vers Laura, le regard plein d'attente.

Laura se leva et fit un effort pour lire à voix

haute ce qu'elle avait rédigé; c'était là ce qu'elle avait pu faire de mieux :

L'AMBITION

L'ambition est indispensable à l'accomplissement de toute tâche. Sans l'ambition d'atteindre un but, rien ne serait réalisé. Sans l'ambition de dépasser les autres et de se surpasser soi-même, il n'y aurait pas de mérite suprême. Pour gagner toute chose, nous devons avoir l'ambition de vouloir qu'il en soit ainsi.

L'ambition est un bon serviteur mais un mauvais maître. Dans la mesure où nous la contrôlons, l'ambition est une qualité, mais s'il existe le moindre danger que nous soyons dominés par elle, je dirais alors, selon les termes de Shakespeare,

« Cromwell, je te l'ordonne, rejette l'ambition
Ce péché précipita la chute des anges. »

C'était là tout. Laura attendait, piteusement, les observations de M. Owen. Il dirigea sur elle un regard pénétrant et demanda :

— Vous avez déjà rédigé des dissertations?

— Non, Monsieur, c'est la première.

— Eh bien, vous devriez en faire plus souvent. Je n'aurais jamais cru que quelqu'un pût faire aussi bien pour une première fois, commenta M. Owen.

Laura, abasourdie, balbutia :

— Elle est si... si courte... C'est essentiellement tiré du dictionnaire.

— Cela ne ressemble guère au dictionnaire,

enchaîna M. Owen. Il n'y a pas de corrections à faire; cela mérite 100. La classe est terminée.

Ce ne pouvait être mieux noté. Laura demeurait en tête de classe. Elle était sûre, désormais, qu'en travaillant assidûment elle resterait première de sa classe, et se réjouissait à l'idée de faire d'autres dissertations.

C'en était fini de ce temps qui se traînait en longueur. La semaine passa en un éclair, et le vendredi, quand Laura et Carrie rentrèrent à la maison pour le dîner, Papa annonça :

— J'ai quelque chose pour toi, Laura.

Les yeux pétillants, il sortit son portefeuille de sa poche et lui remit, un à un, quatre billets de dix dollars dans la main.

— J'ai vu Brewster, ce matin, expliqua Papa. Il m'a donné ça pour toi et m'a dit que tu avais fait du bon travail à l'école. Ils aimeraient que tu reviennes l'hiver prochain, mais je lui ai dit que tu ne partirais plus aussi loin de la maison pendant l'hiver. Je sais que ce n'était pas agréable chez lui, même si tu ne t'es pas plainte, et je suis fier que tu aies tenu jusqu'au bout, Laura.

— Oh, Papa! Cela en valait la peine, s'écria Laura, hors d'haleine. Quarante dollars!

Elle avait su, dès le début, qu'elle toucherait quarante dollars, mais maintenant qu'elle tenait les billets en main, ce fait lui semblait réel, pour la première fois. Elle les regardait, parvenant à peine à le croire, même à présent. Quatre billets de dix dollars, quarante dollars!

Puis elle les tendit à Papa :

— Tiens, Papa. Prends-les et garde-les pour Marie. C'est assez pour qu'elle puisse venir aux vacances, cet été, n'est-ce pas?

— Plus que suffisant, il en restera encore, la rassura Papa, tout en replaçant les billets, bien pliés, dans son portefeuille.

— Oh, Laura, tu ne vas rien avoir du tout pour ce que tu as fait? s'exclama Carrie.

— Nous allons tous voir Marie cet été, répondit Laura joyeusement. Je ne l'ai fait que pour elle.

C'était un sentiment merveilleux que de savoir qu'elle avait apporté une telle aide pour permettre à Marie de revenir. Quarante dollars.

Comme elle prenait place à table pour le bon dîner, dans l'agréable cuisine, elle déclara :

— J'aimerais gagner encore un peu d'argent.

— Tu peux, si tu veux, dit Maman de façon tout à fait inattendue. Mme McKee m'a dit, ce matin, qu'elle aimerait bien que tu l'aides le samedi. Elle n'arrive plus à faire toute seule toute la couture qu'elle a en commande, et elle te donnerait cinquante cents, plus le déjeuner.

— Oh! s'écria Laura. Lui as-tu dit que je viendrais, Maman?

— Je lui ai dit que tu pourrais, si tu en avais envie, répondit Maman avec le sourire.

— Quand? Demain? demanda Laura avec enthousiasme.

— Demain matin, à huit heures. Mme McKee a dit qu'elle t'attendrait jusqu'à cette heure-là. Elle a dit que ce serait de huit heures du matin à six heures du soir seulement, à moins qu'il n'y ait un travail urgent à faire. Si tu restes le soir pour terminer quelque chose, elle te donnera à dîner.

Mme McKee était la couturière de la ville. Les McKee étaient arrivés depuis peu et habitaient une maison neuve, située entre l'épicerie fine Clancy et les nouveaux bureaux à l'angle de la Grand-Rue et de la Deuxième Rue. Laura avait rencontré Mme McKee à l'église et l'aimait bien. Elle était grande et mince, avec de doux yeux bleus et un gentil sourire, et portait ses longs cheveux châtain clair en chignon bas.

Ainsi, l'emploi du temps de Laura se trouvait tout à fait plein, et tout lui était agréable. Les journées de classe, bien remplies, s'écoulaient rapidement, et durant toute la semaine, elle attendait avec plaisir le samedi — où elle s'affairait à coudre dans le petit salon de Mme McKee, lequel était toujours si encombré que l'on y distinguait à peine le fourneau de cuisine placé à l'une des extrémités.

Le dimanche matin, il y avait l'Ecole du Dimanche, puis le culte, et l'après-midi, quand le temps le permettait, la promenade en traîneau avec les autres jeunes gens de la ville. Prince et Lady descendaient la rue au son gai et cristallin de leur double chapelet de clochettes et s'arrêtaient à la porte pour y attendre Laura. Elle partait alors avec Almanzo, dans le petit coupé, tiré par les chevaux les plus jolis et les plus fringants de tout le défilé.

Mais elle aimait plus encore les matinées et les soirées passées à la maison. Laura réalisait qu'elle ne les avait jamais appréciées, jusqu'à maintenant; il n'y avait pas de silences obstinés, de sourdes querelles, de brusques explosions de colère.

Il y avait, au lieu de cela, le travail que l'on exécutait tout en se parlant gentiment, de joyeuses petites plaisanteries, des soirées passées au coin du feu à étudier et à lire, et la musique du violon de Papa. Comme il faisait bon entendre, chez soi, les vieux airs bien connus que chantait le violon, dans la pièce douillette qu'éclairait la lampe. Souvent, Laura songeait combien elle était heureuse et combien elle avait de la chance. Rien, nulle part, ne pouvait être mieux que se trouver parmi les siens, elle en était certaine.

CHAPITRE 13

LE PRINTEMPS

Un vendredi après-midi du mois d'avril, Laura, Carrie, Ida et Mary Brown rentraient lentement à pied de l'école. Le fond de l'air était humide et doux, l'eau tombait goutte à goutte des avant-toits et la neige à demi fondue giclait sous les pas.

— C'est bientôt le printemps, de nouveau, remarqua Ida. Plus que trois semaines d'école.

— Oui, et après nous redéménagerons sur la concession, dit Mary. Toi aussi, Laura, non?

— Je suppose que oui, répondit Laura. Franchement, j'ai l'impression que l'hiver vient à peine de commencer et voilà qu'il est déjà fini.

— Oui, si le redoux continue, demain il n'y aura presque plus de neige, dit Mary.

Cela signifiait qu'il n'y aurait plus de promenades en traîneau.

— Il fait bon sur la concession, reprit Laura.

Elle pensa aux petits veaux nouveau-nés et aux bébés poussins, aux laitues, aux radis et aux oignons de printemps qui poussaient au jardin, aux violettes et aux roses sauvages de juin, et à Marie qui reviendrait du collège.

Elle traversa avec Carrie la rue détrempée par la neige et entra dans la maison. Papa et Maman se trouvaient tous deux dans la salle de séjour, et là, assis dans le fauteuil à bascule de Marie, il y avait un étranger. Comme Laura et Carrie attendaient, hésitantes, auprès de la porte, il se leva et leur sourit.

— Tu ne me reconnais pas, Laura?

Laura le reconnut alors; elle se rappela son sourire, si semblable à celui de Maman.

Papa rit.

— Tu vois, Tom, je t'avais dit qu'elle te reconnaîtrait.

Et comme il donnait, en souriant, une poignée de main à Carrie et Laura, Maman eut un sourire étonnamment pareil au sien.

Carrie ne se souvenait pas de lui; elle n'était

encore qu'un bébé quand ils vivaient dans les Grands Bois du Wisconsin. Mais Laura avait déjà cinq ans lorsqu'ils étaient allés à la fête du Sucre chez Grand-Maman, et oncle Tom y était. Il s'était montré si calme, qu'elle n'avait guère pensé à lui depuis lors, mais, au cours de sa visite dans leur maison du Minnesota près du ruisseau Plum, tante Docia leur avait donné de ses nouvelles, et tout lui revenait maintenant en mémoire.

C'était un homme de petite taille, tranquille, avec un doux sourire. A le regarder ainsi, assis en face d'elle à la table du dîner, Laura avait peine à croire qu'il eût dirigé pendant des années des équipes de débardeurs, sortant hors des Grands Bois les troncs d'arbres coupés pour leur faire descendre le cours des rivières. Malgré sa toute petite taille et son doux parler, il avait su mener les rudes hommes et diriger courageusement le flottage dangereux d'énormes billes de bois. Laura se souvenait de tante Docia leur contant comment, au cours d'un transport, il avait plongé au milieu du flot de billes et comment, s'agrippant à elles, il avait tiré un homme blessé sur la berge pour le sauver, et tout cela sans savoir nager.

Il avait maintenant beaucoup à raconter à Papa, Maman et Laura. Il leur parla de sa femme, tante Lily, et de leur bébé Helen. Il donna des nouvelles de toute la famille de l'oncle Henry, tante Polly, Charley et Albert.

Après avoir quitté le lac d'Argent, ils avaient finalement renoncé à gagner le Montana et s'étaient arrêtés dans le massif montagneux des Black Hills, à l'est des Grandes Plaines. Tous y habitaient encore, à l'exception de leur cousine Louisa qui s'était mariée et avait continué jusqu'au Montana. Quant à tante Eliza et oncle Peter, ils vivaient toujours dans l'est du Minnesota, mais Alice, Ella et leur cousin Peter se trouvaient quelque part dans le territoire du Dakota.

Carrie et Grace écoutaient, les yeux écarquillés. Carrie ne gardait aucun souvenir de tous ces gens; Grace n'avait jamais vu les Grands Bois, ni assisté à l'une de ces fêtes du Sucre que l'on donnait après avoir recueilli la sève dans les bois d'érables, ni connu les Noëls où l'oncle Peter et tante Eliza venaient leur rendre visite avec les cousins, Alice, Ella et Peter. Laura avait de la peine pour sa petite sœur qui était passée à côté de tant de joies.

L'heure du dîner passa rapidement, et quand la lampe fut allumée et toute la famille réunie autour d'oncle Tom dans le petit salon, Papa le fit encore parler des campements installés au cœur des exploitations forestières et du flottage des trains de bois, des cours d'eau mugissants et des hommes farouches et solidement bâtis qui peuplaient les camps. Il évoqua ses souvenirs sobrement, d'une voix aussi douce que celle de Maman et avec le même gentil sourire.

— Ainsi, c'est ton premier voyage à l'Ouest, lui dit Papa.

— Oh, non, répondit oncle Tom calmement. J'étais avec les premiers Blancs qui aient jamais vu les Black Hills.

Papa et Maman restèrent un moment abasourdis, puis Maman demanda :

— Mais que faisais-tu là-bas, Tom?

— Je cherchais de l'or.

— Trop dommage que tu n'aies pas découvert quelques mines d'or, plaisanta Papa.

— Oh, si, nous en avons trouvé, rétorqua oncle Tom, seulement, cela ne nous a servi à rien.

— Miséricorde! s'exclama doucement Maman. Raconte-nous tout.

— Eh bien, voyons... Nous sommes partis de Sioux City, il y a huit ans de cela, commença oncle Tom. C'était en octobre 1874. Nous étions vingt-six hommes, et un des hommes avait amené sa femme avec lui et leur enfant de neuf ans...

Ils étaient partis dans des chariots bâchés, tirés, pour la plupart, par des attelages de bœufs et, pour certains, par des chevaux de selle.

150

Chaque homme disposait d'une carabine Winchester, de pistolets et d'assez de munitions pour tenir huit mois. Ils avaient chargé des provisions de farine, de jambon fumé et salé, de haricots secs et de café dans les chariots, et, pour la viande, dépendaient essentiellement de la chasse, laquelle était bonne ; ils avaient de l'élan, de l'antilope et du cerf en abondance. Le manque d'eau était le problème le plus crucial sur la haute prairie. Fort heureusement, l'hiver était à ses débuts, si bien que le soir, ils faisaient fondre la neige pour en emplir les tonneaux d'eau.

Les tempêtes de neige les retardaient quelque peu, et durant les blizzards, ils demeuraient dans les campements. Dans l'intervalle, ils marchaient à côté des chariots pour alléger les charges, car la neige amoncelée entravait l'avance. Vingt-cinq kilomètres représentaient une bonne journée de voyage.

Ils poussèrent ainsi plus avant en territoire inconnu, sans rien voir hormis les tempêtes et la prairie gelée, et, de temps à autre, quelques Indiens au loin, lorsque apparut une étrange dénivellation du sol. Celle-ci barrait leur route et s'étendait, de part et d'autre, à perte de vue. Il semblait que ce fût impossible d'y engager les chariots, et, pourtant, il n'y avait rien d'autre à faire que la traverser. Aussi, firent-ils descendre à grand-peine les chariots sur cette plaine.

Partant du sol, de curieuses formations de terre nue, de plusieurs dizaines de mètres de hauteur, se dressaient tout autour d'eux. Leurs flancs lacérés, érodés par les vents qui soufflaient éternellement, étaient escarpés, formant parfois saillie. Aucune végétation n'y poussait, pas un arbre, pas un buisson, pas un brin d'herbe. Leur surface était comme plaquée de boue sèche, excepté aux endroits où elle était tachetée de couleurs brillantes et différentes les unes des autres. Le sol de cette dépression était partout jonché de coquillages pétrifiés, de crânes et d'os.

C'était un lieu d'enfer, observa oncle Tom. Les os craquaient, broyés par les roues des chariots, et ces immenses choses, dont certaines ressemblaient à des masques, à des idoles barbares, vous donnaient l'impression de se retourner sur votre passage. Mais les chariots étaient obligés de passer entre elles, pour longer ravins et vallées. A force de suivre les détours que leur imposaient ces étranges tours, ils finirent par se perdre. Il leur fallut trois jours pour trouver comment en sortir, et une journée de dur labeur pour faire monter les chariots sur la crête.

Rétrospectivement, un vieux chercheur d'or avait dit à oncle Tom qu'il devait s'agir des Bad Lands, « Mauvaises Terres » dont les Indiens lui avaient conté les légendes, et il avait ajouté : « Je crois que lorsque Dieu a créé le monde, il a jeté dans ce trou tous les rebuts de l'humanité. »

Après cela, ils poursuivirent leur chemin à travers la prairie et atteignirent les Black Hills. Ils se trouvèrent là à l'abri des vents violents qui soufflaient sur la prairie, mais il était dur d'avancer, car les vallées étaient envahies de neige et les collines étaient abruptes.

Ils en étaient à leur soixante-dix-huitième jour de voyage quand ils installèrent leur dernier campement sur les rives du ruisseau French. Ils allèrent dans les bois des collines abattre des troncs de pins et construisirent, à cet endroit, une palanque de vingt-cinq mètres de côté. Pour ce faire, ils débitèrent les troncs en rondins de quatre mètres de long qu'ils dressèrent bien serrés les uns contre les autres, enfonçant la base à un mètre sous terre. Le sol étant gelé, il était dur de creuser. Ils colmatèrent toutes les fentes qui subsistaient avec des rondins de plus petite taille, cloués à l'aide d'épaisses chevilles de bois sur la face interne de ce mur.

A chacun des angles de cette palissade en forme de carré, ils montèrent de solides bastions faits de rondins, placés en avancée, afin de leur permettre le feu croisé le long de l'extérieur des murs. Dans ces bastions, de même que le long des murs, ils aménagèrent des meurtrières. Un double portail de trois mètres cinquante de largeur, constitué d'épais rondins solidement joints au moyen de chevilles en bois, permettait seul l'entrée de ce fort, lequel était remarquable une fois terminé.

A l'intérieur, ils construisirent sept petites cabanes de rondins et vécurent là durant tout l'hiver. Ils chassaient pour se procurer leur viande et posaient des trappes pour les fourrures. L'hiver fut glacial, mais ils parvinrent à surmonter les difficultés, et, vers le printemps, ils découvrirent de l'or, des pépites et une riche poussière d'or parmi les gravillons gelés et sous la glace, dans le lit des ruisseaux. À peu près à la même époque, les Indiens les attaquèrent. Une fois réfugiés dans ce fort, ils pouvaient aisément les tenir à distance, mais l'ennui était qu'ils allaient y mourir de faim s'ils ne pouvaient en sortir pour aller chasser. Les Indiens rôdaient alentour, relativement calmes, mais repoussant toutes leurs tentatives de sortie, dans l'attente qu'ils meurent de faim. Ils diminuèrent alors les rations de nourriture et se privèrent pour durer le plus longtemps possible, avant d'en être réduits à tuer leurs attelages de bœufs.

Puis, un matin, ils entendirent, au loin, un son de clairon !

Lorsque oncle Tom prononça ces mots, Laura se rappela le son dont les Grands Bois renvoyaient l'écho, il y avait bien longtemps, quand oncle George jouait de son clairon de militaire.

— Des soldats? s'écria-t-elle.

— Oui, confirma oncle Tom.

Ils ne risquaient plus rien désormais, les soldats arrivaient. Les sentinelles hurlèrent de joie et tout le monde vint s'entasser dans les bastions pour regarder. Ils entendirent à nouveau le clairon, puis, bientôt, le fifre et le tambour et virent le drapeau flotter au vent, suivi de la troupe.

Ils ouvrirent le portail en grand et s'élancèrent au-dehors, tous, aussi vite qu'ils le pouvaient, à la rencontre des soldats. Les soldats les firent tous prisonniers, là, sur-le-champ, et les gardèrent sur place pendant que quelques autres continuaient et incendiaient le fort, avec tout ce qui s'y trouvait. Les soldats mirent le feu aux cabanes, aux chariots, aux fourrures et massacrèrent les bœufs.

— Oh, Tom! s'écria Maman, comme si cela lui était trop pénible.

— Nous étions en Territoire indien, poursuivit oncle Tom sans amertume. A proprement parler, nous n'avions aucun droit.

— N'avais-tu donc rien à faire valoir pour tout ce travail et ces dangers? se lamenta Maman.

— J'avais perdu tout ce que j'avais en partant, à part mon fusil, expliqua oncle Tom. Les soldats nous ont laissé les garder, et ils nous ont fait partir à pied, prisonniers.

Papa arpentait nerveusement la pièce.

— Jamais de la vie je ne me serais laissé faire! s'exclama-t-il, pas sans me bagarrer.

— Nous ne pouvions pas nous battre contre toute l'Armée des Etats-Unis, remarqua oncle Tom avec bon sens. Mais ça m'a fait mal de voir ce fort partir en fumée.

— Je sais, soupira Maman, encore aujourd'hui je pense à la maison que nous avons dû abandonner, en Territoire indien, et juste quand Charles venait d'y poser des vitres.

« Tout cela est arrivé à oncle Tom quand nous vivions près du ruisseau Plum », pensa Laura. Tous se turent pendant un moment, puis

l'horloge ancienne les avertit d'un bourdonne-
ment, et, lentement, solennellement, elle sonna,
un coup seulement.

— Mon Dieu! regardez l'heure! s'exclama
Maman. Franchement, Tom, tu nous as fasci-
nés! Pas étonnant que Grace se soit endormie à
une heure pareille. Dépêchez-vous d'aller au lit,
les filles, et emmenez-la avec vous. Toi, Laura,
enlève l'édredon de mon lit et des couvertures, et
je vais faire un lit ici, en bas, pour Tom.

— Inutile de défaire ton lit, Caroline, protesta oncle Tom. Je peux dormir à même le sol
avec une couverture, je l'ai assez souvent fait.

— Je crois tout de même que Charles et moi
nous pouvons dormir sur la paillasse, pour une
fois, insista Maman, quand je pense à toutes les
nuits que tu as passées à avoir froid et sans
confort, pendant ce voyage.

L'hiver glacial qu'avait évoqué oncle Tom au
cours de son récit était encore si présent à
l'esprit de Laura qu'il lui parut étrange, au
matin, d'entendre le chinook souffler doucement
et la neige fondante dégoutter des avant-toits, de
savoir que le printemps était là et qu'elle était
dans l'agréable ville. Durant toute la journée,
tandis qu'elle cousait en compagnie de
Mme McKee, Papa et Maman firent visite avec
l'oncle Tom à quelques amis du voisinage. Le
lendemain, seules Laura, Carrie et Grace

allèrent à l'Ecole du Dimanche et à l'église; Papa et Maman demeurèrent à la maison, afin de ne pas perdre une minute du court séjour d'oncle Tom, qui allait repartir chez lui dans le Wisconsin, le lundi, de bon matin.

Seules quelques plaques de neige persistaient, çà et là sur le sol boueux. Il n'y aurait plus de courses en traîneau, Laura le savait, et elle en était désolée.

Le dimanche, après un déjeuner tardif, ils étaient tous assis autour de la table, tandis que Papa, Maman et oncle Tom parlaient de gens qu'elle ne connaissait pas, quand une ombre passa devant la fenêtre. A la façon de frapper, Laura reconnut qui était à la porte et se hâta d'aller l'ouvrir, se demandant pour quelle raison Almanzo était venu.

— Vous plairait-il d'aller faire la première promenade en boghei du printemps, lui demanda-t-il, avec Cap, Mary Power et moi-même?

— Oh, oui! répondit Laura avec enthousiasme. Vous ne voulez pas entrer, le temps que je mette mon manteau et mon chapeau?

— Non, merci, j'attendrai dehors, dit-il.

Quand elle sortit, Laura vit que Mary et Cap étaient assis sur le siège arrière du boghei de Cap, à quatre places. Almanzo l'aida à monter sur le siège avant, et comme il s'asseyait à ses côtés, prit les guides des mains de Cap. Prince et Lady s'éloignèrent alors au trot, remontèrent la rue et prirent la route de la prairie vers l'est.

Ils étaient seuls à se promener, aucun autre boghei ne faisait partie de la randonnée, mais Laura, Mary et Cap étaient gais et d'humeur à rire. La route était détrempée, si bien que l'eau et la neige à demi fondue éclaboussaient les chevaux, le boghei et les couvertures de toile étalées sur leurs genoux, mais le vent du printemps caressait leur visage et le soleil brillait chaudement.

Almanzo ne prenait pas part à leur joyeuse conversation. Il conduisait régulièrement, sans un mot ni un sourire, au point que Laura finit par lui demander ce qui n'allait pas.

— Rien, fit-il.

Puis il enchaîna rapidement :

— Qui est ce jeune homme?

Personne n'était en vue, nulle part; Laura s'étonna :

— Quel jeune homme?

— Celui avec qui vous parliez quand je suis arrivé, répondit-il.

Laura ne comprenait pas, mais Mary se mit à éclater de rire.

— Allons, ne soyez pas jaloux de l'oncle de Laura! dit-elle.

— Oh, c'est de lui dont vous parliez? C'était

oncle Tom, le frère de Maman, expliqua Laura.

Mary Power continuait à rire si fort que Laura se retourna, au moment même où Cap s'emparait d'une des épingles à cheveux qui retenaient le chignon de Mary.

— Et si vous faisiez un peu attention à moi, lui dit-il.

— Oh, ça suffit, Cap! Donnez-la-moi! s'écria Mary.

Tout en disant ces mots, elle essayait de saisir l'épingle qu'il maintenait hors de sa portée, cependant qu'il en enlevait une autre.

— Oh, non, Cap! Non! suppliait Mary.

De ses deux mains elle couvrait le chignon noué sur sa nuque.

— Laura, aide-moi!

Laura se rendit compte à quel point la situation était critique, car elle seule savait que Mary portait en fait un postiche. Il fallait à tout prix empêcher Cap de continuer. Si Mary perdait encore des épingles à cheveux, son joli chignon volumineux tomberait.

A cet instant précis, un petit paquet de neige, projeté par l'un des sabots de Prince, vint atterrir sur les genoux de Laura. Alors que Cap, qui se débattait avec Mary, lui tournait le dos, Laura ramassa vivement le petit bloc de neige et le fit adroitement tomber à l'intérieur de son col, au niveau de sa nuque.

160

— Ahou! hurla-t-il. Wilder, tu devrais bien me donner un coup de main. Deux filles contre moi, c'est trop.

— Je suis occupé, je conduis, rétorqua Almanzo.

Tous se mirent à rire à gorge déployée; il était si facile de rire au printemps...

CHAPITRE 14

SUR LA CONCESSION
DES McKEE

Oncle Tom s'en retourna dans l'Est, le lendemain matin. Il n'était plus là quand Laura rentra de l'école, à midi.

— Il était à peine parti que Mme McKee arrivait, dit Maman. Elle est en plein désarroi, Laura, et m'a demandé si tu voudrais bien l'aider à s'en sortir.

— Mais, bien sûr, si je peux, répondit aussitôt Laura. De quoi s'agit-il?

Maman raconta que malgré tous les travaux de couture qu'avait réalisés Mme McKee durant l'hiver, son mari et elle ne pouvaient pas encore se permettre de déménager sur leur concession. M. McKee devait encore garder son emploi à la scierie jusqu'à ce qu'ils eussent économisé assez d'argent pour pouvoir acheter des outils, des semences et du bétail. Il voulait que Mme McKee allât passer l'été sur la concession, pour l'occuper, avec leur fille, la petite Mattie. Mais Mme McKee prétendait qu'elle préférait perdre la concession, plutôt que d'habiter là-bas, toute seule, sur la prairie, avec sa fille.

— Je ne comprends pas pourquoi elle s'en effraie à ce point, mais le fait est là, remarqua Maman. Il semble qu'elle soit terrifiée à l'idée de vivre à des kilomètres, loin de tout. Aussi, d'après ce qu'elle m'a dit, M. McKee laisserait tomber la concession. Après qu'il fut parti au travail, elle y a réfléchi, et c'est pourquoi elle est venue me dire que si tu étais prête à l'accompagner, elle partirait l'occuper. Elle a ajouté qu'elle te donnerait un dollar par semaine, simplement pour rester avec elle, comme quelqu'un de la famille.

— Où se trouve la concession? s'enquit Laura.

— Ce n'est pas très loin au nord de Manchester, précisa Maman.

Manchester était une nouvelle petite ville, située à l'ouest de De Smet.

— Eh bien, Laura, tu as envie d'y aller? demanda Papa.

— Je pense que oui. Cela me fera manquer la fin des classes, mais je pourrai me rattraper, et j'aimerais continuer à gagner un petit quelque chose.

— Les McKee sont des gens gentils et ça les arrangerait rudement bien, alors tu peux y aller si tu veux, décida Papa.

— Ce serait dommage, pourtant, que tu manques la venue de Marie, s'inquiéta Maman.

— Peut-être que si j'y allais juste le temps que Mme McKee s'installe et s'habitue, je pourrais revenir assez longtemps à la maison pour voir Marie, réfléchit Laura.

— Enfin, si tu as envie d'y aller, il vaut mieux que tu y ailles, reprit Maman; c'est inutile de se faire du souci à l'avance, tout s'arrangera sûrement.

Laura prit donc le train pour Manchester, le lendemain, avec Mme McKee. Elle avait déjà voyagé en train une fois auparavant, lorsqu'elle avait quitté leur maison près du ruisseau Plum, pour venir dans l'Ouest; aussi se sentit-elle l'assurance d'une grande voyageuse, tandis qu'elle suivait le garde-frein, qui portait sa sacoche, dans l'allée centrale pour aller s'asseoir. Ce n'était pas comme si elle n'avait rien connu au sujet des trains.

164

Il y avait douze kilomètres jusqu'à Manchester. Arrivées là, les porteurs descendirent les meubles de Mme McKee du fourgon accroché à l'avant de la voiture des voyageurs, et un conducteur d'attelage les chargea sur son chariot. Il n'avait pas encore terminé que, déjà, l'hôtelier du lieu frappait son enseigne à l'aide d'un bâton, pour appeler tous les étrangers quels qu'ils fussent à venir déjeuner. Si bien que Mme McKee, Laura et Mattie prirent leur repas à l'hôtel.

Peu après, le charretier avança le chariot bondé devant la porte et aida Laura et Mattie à grimper pour qu'elles pussent s'asseoir au sommet du chargement, au milieu des ballots de literie, du fourneau de cuisine, de la table, des chaises, de la malle et des cartons de provisions. Mme McKee prit place sur le siège à côté du conducteur.

Assises les jambes pendantes sur le rebord de la caisse, Laura et Mattie s'agrippaient l'une à l'autre et aux cordes qui retenaient le chargement au chariot; celui-ci, tiré par les chevaux, s'en allait en cahotant à travers la prairie. Il n'y avait aucune route; les roues s'enfonçaient par endroits, là où le sol herbeux était détrempé par la neige fondante, si bien que le chariot et son chargement étaient ballottés deçà, delà. Tout alla bien cependant jusqu'au moment où ils arrivèrent devant un marécage. Là où le terrain était affaissé, l'eau stagnait au milieu des hautes herbes rêches.

— Je ne m'attendais pas à ça, déclara le charretier en regardant au loin. Ça m'a l'air mauvais, mais il n'y a pas moyen de le contourner, il faudra bien qu'on essaie. Peut-être qu'en traversant vite, le chariot n'aura pas le temps de s'enliser.

Comme ils se rapprochaient du marais, il hurla :

— Accrochez-vous!

Il saisit son fouet et cria des ordres aux chevaux qui se mirent à aller vite, de plus en plus vite et, excités par ses cris et le fouet, finirent par prendre le galop. L'eau jaillissait, pareille à d'immenses ailes, de part et d'autre des roues secouées par les cahots, tandis que Laura se cramponnait de toutes ses forces aux cordes et à Mattie.

Tout fut calme tout à coup. Parvenus sains et saufs de l'autre côté du marécage, le charretier arrêta les chevaux pour qu'ils pussent souffler.

— Ouf, nous avons réussi! soupira-t-il. Les roues n'ont tout simplement pas eu le temps de s'enfoncer. Si quelqu'un v'nait à être pris là dedans, il s'rait bon pour y rester.

Il n'était pas étonnant qu'il parût soulagé — comme Laura jetait un coup d'œil en arrière sur

166

le marais, elle ne vit aucune des traces du chariot, elles étaient recouvertes par l'eau.

Poursuivant leur chemin à travers la prairie, ils parvinrent enfin à l'endroit d'une petite cabane de concession neuve, solitaire. Une autre se trouvait à quelque deux kilomètres de là, vers l'ouest, puis au loin, à l'est, une troisième que l'on distinguait mal.

— C'est ici, M'dame, déclara l'homme. J'vais décharger et puis vous chercher une brassée de foin pour votre feu, là-bas à la cabane à deux kilomètres. Celui qui l'avait l'été dernier a quitté pour repartir dans l'Est, mais à ce que je vois, il a laissé là quelques meules de foin.

Il transporta le chargement dans la cabane et installa le fourneau avant de repartir chercher le foin.

Une cloison divisait la cabane en deux pièces minuscules. Mme McKee et Laura montèrent l'un des châlits dans la pièce où se trouvait le fourneau et un autre dans la seconde pièce. La table, quatre petites chaises en bois et la malle suffirent à remplir la petite maison.

— Je suis contente de ne rien avoir apporté de plus, remarqua Mme McKee.

— C'est vrai, comme dirait Maman, assez vaut festin, approuva Laura.

Le charretier revint avec une charge de foin, puis s'en retourna pour Manchester. Il y avait maintenant à garnir de paille les deux paillasses, à faire les lits, puis à déballer la vaisselle. Laura alla ensuite tresser un peu de paille qu'elle détacha de la meulette, à l'arrière de la cabane, pour en faire des allume-feu, et Mattie les emporta au fur et à mesure dans la maison pour alimenter le feu, pendant que Mme McKee préparait le dîner. Mme McKee ne savait pas tresser la paille, mais Laura avait appris, au cours du fameux Hiver Sans Fin.

Comme le crépuscule gagnait la prairie, les coyotes commencèrent à hurler. Mme McKee verrouilla la porte et s'assura que les fenêtres étaient bien fermées.

— Je ne comprends pas pourquoi la loi nous oblige à faire ça, remarqua-t-elle. A quoi peut bien servir de faire rester une femme tout l'été sur une concession !

— D'après Papa, c'est un pari. Le gouvernement nous parie soixante-cinq hectares de territoire que nous sommes incapables d'y demeurer cinq ans sans mourir de faim.

— Personne n'en serait capable, reprit Mme McKee. Ceux qui font ces lois devraient savoir que celui qui a assez d'argent pour faire valoir une terre, en a assez pour acheter une ferme. S'il n'a pas d'argent, il lui faut en gagner, alors pourquoi font-ils des lois qui le forcent à rester sur une concession quand il ne peut pas?

Tout ce que ça veut dire est que sa femme et sa famille doivent rester là, à ne rien faire, pendant sept mois de l'année. Je pourrais gagner quelque chose en faisant de la couture, ce qui permettrait d'acheter des outils et des semences, si personne n'était obligé d'occuper cette concession. Franchement, je ne sais pas, mais quelquefois je suis pour les droits de la femme. Si les femmes votaient et faisaient les lois, je pense qu'elles auraient un peu plus de bon sens. Ce sont des loups?

— Non, la rassura Laura. Ce ne sont que des coyotes, ils ne sont pas dangereux.

Elles étaient toutes trois si fatiguées qu'elles n'allumèrent pas la lampe, mais allèrent se coucher, Laura et Mattie dans la cuisine, et Mme McKee dans la pièce du devant. Quand tout fut calme, la solitude parut envahir la cabane. Laura n'éprouvait aucune peur, mais jamais encore elle ne s'était trouvée dans un lieu aussi isolé sans Papa, Maman et ses sœurs. Le hurlement des coyotes se fit entendre au loin, plus loin encore, puis mourut tout à fait. Le marais était trop éloigné pour qu'on pût entendre le coassement des grenouilles. Aucun son ne venait rompre le silence, hors le murmure du vent de la prairie.

Le soleil, qui baignait le visage de Laura, l'éveilla au matin d'une journée de désœuvrement. Les quelques tâches ménagères furent rapidement terminées, et il n'y eut plus rien d'autre à faire, pas de leçons à étudier, personne à voir. Ce fut plaisant pendant quelque temps. Durant toute la semaine, Laura, Mme McKee et Mattie ne firent rien d'autre que dormir, manger, se reposer, bavarder et garder le silence. Le soleil se levait, se couchait, le vent soufflait, et la prairie était dénuée de tout, si ce n'est des oiseaux et de l'ombre des nuages.

Le samedi après-midi, elles s'habillèrent pour aller à la ville et firent à pied les trois kilomètres jusqu'à Manchester, pour y retrouver M. McKee et revenir avec lui à la petite maison. Il resta jusqu'au dimanche après-midi, où tous reprirent le chemin de la ville et M. McKee prit le train qui le ramenait à De Smet et à son travail. Puis, Mme McKee, Laura et Mattie regagnèrent à pied la concession pour une nouvelle semaine.

Elles étaient heureuses quand arrivait le samedi, mais en un sens, c'était un soulagement lorsque M. McKee était parti, car c'était un presbytérien (1) si rigide que personne, le dimanche, n'était autorisé à rire ou même sourire. Ils n'avaient que le droit de lire la Bible et le catéchisme et parler avec sérieux de sujets

(1) Membre de l'église protestante anglo-saxonne.

170

religieux. **Laura** l'aimait bien, malgré tout, car c'était un homme foncièrement bon et gentil, qui jamais ne se mettait en colère.

Voilà en quoi consistait l'emploi du temps des semaines qui s'écoulèrent, l'une après l'autre, toutes semblables, jusqu'à la fin du mois de mai.

Il faisait plus chaud désormais; au cours de leurs promenades jusqu'à la ville, elles entendaient les alouettes des prés chanter en bordure du chemin, où s'épanouissaient les fleurs de printemps. Un certain dimanche après-midi de chaleur, le retour de Manchester leur parut plus long et plus fatigant qu'à l'habitude; alors qu'elles s'attardaient un peu le long du sentier, Mme McKee observa :

— Ce serait plus agréable pour vous de vous promener dans le boghei de Wilder.

— Cela ne se produira sans doute plus, remarqua Laura, quelqu'un d'autre aura pris ma place d'ici que je rentre.

Elle pensait à Nellie Oleson; la concession des Oleson n'était pas bien loin de celle d'Almanzo.

— Ne vous faites pas de soucis, lui dit Mme McKee. Un vieux célibataire ne s'intéresse pas à ce point à une jeune fille sans qu'il ait de sérieuses intentions. Vous l'épouserez sûrement.

— Oh, non! s'écria Laura, non, certainement pas! Pour rien au monde je ne quitterais la maison pour me marier.

Puis, soudain, elle réalisa qu'elle avait la nostalgie de la maison. Elle avait envie d'être de nouveau parmi les siens, à tel point que c'en était à peine supportable. Tout au long de la semaine, elle lutta contre cet ardent désir, le cachant à Mme McKee, mais, le samedi, quand elles s'en furent à nouveau à Manchester, une lettre l'attendait.

Maman annonçait le retour de Marie. Laura devait rentrer, écrivait-elle. Elle espérait que Mme McKee pourrait trouver quelqu'un d'autre pour rester avec elle, car il fallait que Laura fût à la maison lorsque Marie serait là.

Laura, qui redoutait d'en parler à Mme McKee, ne dit mot; mais le soir, alors qu'ils étaient à table, Mme McKee lui demanda ce qui la tourmentait. Laura lui dit alors ce que Maman avait écrit.

— Mais, voyons, bien sûr que vous devez rentrer, dit aussitôt M. McKee. Je trouverai quelqu'un pour rester ici.

Mme McKee observa un moment de silence avant de dire :

— Je ne veux personne d'autre que Laura pour vivre avec nous. Je préfère encore que nous restions toutes les deux seules. Nous sommes habituées à cet endroit, maintenant, et il ne se passe jamais rien.

Ainsi, M. McKee porta la sacoche de Laura

durant le trajet du dimanche après-midi, de la concession à Manchester: elle fit ses adieux à Mᵐᵉ McKee et Mattie et monta dans le train avec lui, pour rentrer enfin à la maison.

Tout au long du voyage, elle pensa à elles deux, seules sur le quai de la gare, puis faisant à pied les trois kilomètres pour regagner la cabane solitaire où elles étaient obligées de rester à ne rien faire, si ce n'est manger, dormir et écouter la voix du vent, pendant cinq mois encore. C'était un bien dur moyen de gagner une terre, mais il n'y en avait point d'autre — ainsi le voulait la loi.

CHAPITRE 15

LE RETOUR DE MARIE

Comme Laura était heureuse d'être de nouveau en famille, sur la concession de Papa! Il faisait bon traire la vache, boire tout le lait qu'elle désirait, tartiner le beurre sur son pain et manger à nouveau de ce délicieux fromage de ferme que préparait Maman. Il y avait aussi des feuilles de laitues à cueillir au jardin et des petits radis rouges. Elle n'avait pas réalisé combien elle était affamée de toutes ces bonnes choses. Mᵐᵉ McKee et Mattie ne pouvaient en jouir, bien sûr, tant qu'elles occupaient la concession.

Il y avait maintenant des œufs à la maison, également, car les poules de Maman étaient de bonnes pondeuses. Laura aidait Carrie à chercher les nids que les poules dissimulaient dans la paille à l'étable ou dans les hautes herbes alentour

Grace découvrit une nichée de chatons, cachés dans la mangeoire. Il s'agissait des petits-enfants de la petite chatte que Papa avait achetée cinquante cents, et Kitty s'en sentait responsable. Elle se sentait le devoir de chasser pour eux, tout autant que pour ses propres petits, et leur rapportait plus de sousliks (1) qu'ils n'en pouvaient manger; chaque jour, elle déposait en tas le surplus pour Maman, près de la porte de la cuisine.

— Vraiment, disait Maman, jamais la générosité d'un chat ne m'a gênée à ce point.

Vint le jour où Marie devait rentrer. Papa et Maman partirent en chariot la chercher à la ville. Cet après-midi-là, comme il arrivait enfin, déroulant sa fumée noire en une traînée qui se dissipait dans le ciel, le train lui-même semblait avoir quelque chose de particulier. Du sommet de la butte qui s'élevait derrière l'étable et le jardin, elles aperçurent les jets de vapeur

(1) Sorte de rongeur, voisin de la marmotte, vivant aux Etats-Unis.

blanche que crachait la locomotive et entendirent son sifflement. Puis, son roulement lointain se tut, il était arrivé en gare; Marie devait être là maintenant.

Quelle agitation il y eut quand, enfin, le chariot surgit de la fondrière avec Marie, assise à l'avant, entre Papa et Maman. Laura et Carrie parlaient toutes deux à la fois, et Marie essayait de leur répondre à toutes les deux en même temps. Grace, les cheveux flottant au vent et ses yeux bleus écarquillés, se faufilait entre les jambes de tout le monde. Kitty, la queue gonflée en rince-bouteilles, sortit par la porte, rapide comme l'éclair; Kitty n'aimait pas les étrangers, et elle ne se souvenait plus de Marie.

— Tu n'as pas eu peur de venir toute seule en train? demanda Carrie.

— Oh, non, répondit Marie en souriant, je n'ai pas eu de mal. Nous apprenons à faire les choses par nous-mêmes, au collège, cela fait partie de notre instruction.

Elle semblait beaucoup plus sûre d'elle, et au lieu de rester calmement assise sur sa chaise, se déplaçait avec aisance dans toute la maison. Quand Papa eut rentré sa malle, elle alla s'agenouiller devant et l'ouvrit, tout comme si elle la voyait. Puis elle en sortit, un à un, tous les présents qu'elle avait rapportés.

Il y avait pour Maman un dessous de lampe

fait de ganse tissée, frangé de perles multicolores enfilées sur du fil solide.

— C'est magnifique! dit Maman, ravie.

Le cadeau de Laura était un bracelet fait de rangs de perles bleues et blanches, tissés

ensemble, et celui de Carrie était une bague de perles roses et blanches entrecroisées.

— Oh, que c'est joli! que c'est joli! s'exclama Carrie, et elle me va, en plus, elle me va parfaitement!

Pour Grace, il y avait une petite chaise de poupée faite de perles rouges et vertes, passées sur un fil métallique. Grace la prit délicatement dans ses mains, si émue que c'est à peine si elle put dire merci à Marie.

— Ceci est pour toi, Papa, dit Marie tout en lui donnant un mouchoir de soie bleue. Ça, ce n'est pas moi qui l'ai fait, mais je l'ai choisi moi-même. Blanche et moi... Blanche est ma compagne de chambre, nous sommes descendues en ville pour trouver quelque chose pour toi. Elle arrive à voir les couleurs quand elles sont assez vives, mais l'employé du magasin ne le savait pas. Nous avons pensé que ce serait drôle de lui faire une farce, alors Blanche me soufflait les couleurs, et lui croyait que nous arrivions à les distinguer rien qu'en tâtant. Au toucher, je me suis rendu compte que c'était une belle soie. Il s'est vraiment laissé prendre!

Et à ce souvenir, Mary se mit à rire. Ils l'avaient souvent vue sourire, mais il y avait bien longtemps qu'ils ne l'avaient entendue rire ainsi de bon cœur, comme elle le faisait lorsqu'elle était enfant. Toutes les dépenses qu'avait occasionnées son départ pour le collège leur étaient plus que payées de retour par le simple fait de la voir si gaie et assurée.

— Je parie que c'était le plus joli mouchoir de tout Vinton, Iowa! s'écria Papa.

— Je ne vois pas comment tu arrives à mettre les bonnes couleurs quand tu fais tes ouvrages en perles, s'étonna Laura qui faisait tourner son bracelet autour de son poignet. Chaque petite perle de cet adorable bracelet est à la bonne place. Ce n'est pas en faisant marcher un vendeur que tu as pu le faire.

— Une personne qui y voit nous range les perles dans des boîtes séparées, suivant les couleurs, expliqua Marie ; nous n'avons plus qu'à nous souvenir de leur emplacement.

— Effectivement, tu peux y arriver facilement, admit Laura. Tu te souvenais toujours des choses. Tu te rappelles, je ne pouvais jamais réciter autant de versets de la Bible que toi.

— La personne qui nous fait l'Ecole du Dimanche, maintenant, est surprise de voir que j'en sache autant. Tu sais, Maman, cela m'a beaucoup aidée de les connaître. J'arrivais si facilement à les lire en braille ou en impression anaglyptique avec les doigts, que j'ai appris à savoir tout lire plus vite que n'importe qui de ma classe.

— Cela me fait plaisir, Marie, dit simplement Maman.

Son sourire trembla sur ses lèvres, mais sur son visage se lisait une joie plus grande que lorsque Marie lui avait offert le joli dessous de lampe.

— Voici ma planche de braille, dit Marie en la sortant de sa malle.

Il s'agissait d'une mince plaque métallique de forme rectangulaire, aussi grande qu'une ardoise d'écolier, fixée dans un cadre d'acier, avec, en travers, une étroite réglette de métal. Plusieurs rangées de petits carrés découpaient la réglette, laquelle pouvait être déplacée de haut en bas ou fixée à n'importe quel endroit. Un petit bout d'acier, ayant la forme d'un crayon, que Marie dit être un poinçon, était attaché au cadre par une ficelle.

— Comment t'en sers-tu? voulut savoir Papa.

— Regardez, je vais vous montrer.

Tous l'observèrent tandis qu'elle plaçait une feuille d'épais papier de couleur blanc crème sur l'ardoise, sous la réglette. Elle fit glisser cette dernière au haut du cadre et l'y fixa. Puis, à l'aide du poinçon, elle appuya rapidement çà et là dans les angles des petits carrés.

— Voilà, dit-elle tout en retirant la feuille et la retournant.

Là où elle avait enfoncé le poinçon apparaissait un petit point en relief, que l'on pouvait aisément sentir sous le doigt. Les points formaient différents dessins, chacun de la dimension des carrés, qui correspondaient aux lettres braille.

— J'écris à Blanche pour lui dire que je suis

180

bien arrivée, déclara Marie. Il faut aussi que j'écrive à mon professeur.

Elle retourna le papier, le replaça dans son cadre et fit descendre la réglette, prête à continuer à écrire dans l'espace vierge.

— Je les terminerai plus tard.

— C'est merveilleux que tu puisses écrire à tes amies et qu'elles puissent lire tes lettres, remarqua Maman, émue. Quand je pense que tu es vraiment en train de recevoir l'instruction que nous avons toujours voulu que tu aies, je n'arrive pas encore à y croire.

Laura était si heureuse qu'elle était sur le point de pleurer, elle aussi.

— Allons, allons, intervint Papa, nous restons là à bavarder alors que Marie doit avoir faim et qu'il est l'heure de s'occuper des bêtes. Faisons notre travail maintenant, nous aurons plus de temps pour parler, après.

— Tu as raison, Charles, approuva Maman. Le dîner sera prêt pour quand tu reviendras.

Pendant que Papa pansait les chevaux, Laura se hâta d'aller traire, et Carrie alluma rapidement un feu, afin de mettre à cuire le gâteau biscuit que confectionnait Maman.

Quand Papa rentra de l'écurie et que Laura eut filtré le lait, le dîner était prêt.

Ils formaient une heureuse famille, tous à nouveau réunis autour de la table, en train de manger les pommes de terre rissolées, les œufs frais pochés et le délicieux biscuit avec le bon beurre de Maman. Papa et Maman burent leur thé bien parfumé, mais Marie prit du lait, tout comme ses sœurs.

— C'est un régal, nous n'avons pas d'aussi bon lait au collège.

Il y avait tant de questions à poser, tant de choses à dire, que presque aucun sujet de conversation n'était totalement épuisé, mais, demain, il y aurait encore une longue journée à passer avec Marie.

Il semblait que rien n'eût changé quand, ensemble, Laura et Marie montèrent se coucher, tout comme autrefois, dans le lit où Laura dormait depuis si longtemps seule.

— Il fait chaud en ce moment, observa Marie, alors je ne mettrai pas mes pieds tout froids sur toi, comme je le faisais tout le temps.

— Je suis si contente que tu sois là que je ne m'en plaindrais pas, dit Laura avec bonne humeur, ce serait un plaisir!

CHAPITRE 16

JOURS D'ÉTÉ

C'était une telle joie d'avoir Marie à la maison que les longs jours d'été ne suffisaient pas à leurs maintes distractions. Ecouter les récits que faisait Marie de sa vie au collège, lui faire la lecture à voix haute, décider des retouches et faire les divers points de couture pour remettre ses vêtements en état, reprendre avec elle les longues promenades en fin d'après-midi, tout cela faisait passer le temps trop vite.

Un samedi matin, Laura se rendit à la ville pour y acheter une étoffe de soie assortie à la robe du dimanche de Marie, qui datait de l'hiver précédent, afin de lui refaire un col et des poignets neufs. Elle trouva exactement ce qu'elle désirait dans une nouvelle boutique de modes et de couture. Alors qu'elle enveloppait le petit paquet, Mlle Bell dit à Laura :

— Je vois que vous savez bien coudre; j'aimerais beaucoup que vous acceptiez de venir m'aider. Si vous voulez bien apporter votre déjeuner, je vous donnerai cinquante cents par jour pour rester de sept heures du matin à cinq heures du soir.

Laura jeta un regard autour de l'agréable local, nouvellement aménagé, avec ses ravissants chapeaux exposés dans les deux devantures, ses rouleaux de rubans disposés sous la vitrine du comptoir, et ses étoffes de soie et de velours empilées sur les étagères qui garnissaient les murs. Il y avait, sur la machine à coudre, une robe en cours de confection, puis une autre posée sur une chaise, à côté.

— Comme vous pouvez le voir, il y a plus à faire ici que je ne le puis toute seule, dit Mlle Bell de sa voix douce.

Mlle Bell était une jeune femme que Laura trouva jolie avec sa taille élancée, sa chevelure et ses yeux sombres, et elle pensa que ce serait agréable de travailler pour elle. Laura promit :

— Je viendrai si Maman le veut bien.

— Venez lundi matin, si c'est possible, ajouta Mlle Bell.

Laura quitta la boutique et remonta la rue jusqu'à la poste pour y mettre une lettre de Marie. Elle rencontra là Mary Power qui allait à la scierie y faire une commission. Elles ne s'étaient pas revues depuis la promenade en boghei, au début du printemps, et elles avaient tant de choses à dire que Mary supplia Laura de l'accompagner.

— D'accord, je viens, accepta Laura, de toute façon j'aimerais demander à M. McKee comment vont Mme McKee et Mattie.

Tout en parlant, elles montèrent tranquillement jusqu'au bout de la rue, traversèrent la voie ferrée noire de suie, et prirent la route poussiéreuse qui conduisait à l'angle de la scierie, où elles s'arrêtèrent pour continuer à bavarder.

Sur le chemin de terre, au nord, elles aperçurent un attelage de bœufs qui descendait lentement vers la ville avec un chargement de bois. Laura regarda distraitement l'homme qui marchait à la droite des bœufs tout en faisant tournoyer son long fouet. Pesamment, les bœufs s'approchèrent du tournant, puis, brusquement, partirent rapidement droit devant eux.

Mary et Laura reculèrent d'un pas. L'homme ordonna : « Hô! Dia! »

Mais les bœufs, au lieu de tourner sur la gauche, se déportèrent sur la droite pour prendre le tournant.

— Alors, huhau! Faites comme vous voulez! lança le conducteur d'un ton faussement agacé.

Il regarda les jeunes filles qui s'exclamèrent toutes deux en même temps :

— Almanzo Wilder!

Il ôta son chapeau et les salua d'un large geste enjoué, puis descendit la rue d'un pas pressé avec ses bœufs.

— Je ne l'avais pas reconnu sans ses chevaux! dit en riant Laura.

— Et comme il était habillé! observa Mary d'un ton désobligeant, avec ces vieux vêtements et ces affreux brodequins!

— Il est probablement en train de labourer, c'est pourquoi il était avec des bœufs. Il ne ferait pas travailler comme ça Prince et Lady, expliqua Laura, plus pour elle-même que pour Mary Power.

— Tout le monde travaille, remarqua Mary. Personne ne peut s'amuser du tout en été. Pourtant, s'il y a moyen, je suis sûre que Nellie Oleson ira se promener avec ces chevaux. Tu sais que la concession des Oleson n'est pas très loin à l'est de celle des deux Wilder.

— Tu l'as vue ces derniers temps? demanda Laura.

186

— Je ne vois jamais personne. Toutes les filles sont parties habiter sur les concessions de leurs parents, et Cap fait des transports de bois tous les jours. Ben Woodsworth travaille au chantier, et maintenant, depuis que son père l'a pris comme associé, Frank Harthorn travaille tout le temps au magasin, personne n'arrive plus à lui parler. Minnie et Arthur sont partis avec toute la famille sur leurs terres, et toi, je ne t'avais pas vue depuis début avril.

— Ne t'en fais pas, nous nous verrons tout l'hiver prochain, et puis je vais venir travailler en ville, si Maman me le permet.

Laura raconta alors à Mary qu'elle comptait faire des travaux de couture pour Mlle Bell.

A la position du soleil dans le ciel, Laura réalisa soudain qu'il était presque midi. Elle ne resta qu'un instant dans le bureau de la scierie, le temps d'apprendre de la bouche de M. McKee que Mme McKee et Mattie se tiraient d'affaire, bien qu'elle leur manquât toujours.

Puis elle dit rapidement au revoir à Mary et se hâta de rentrer à la maison. Elle était restée en ville trop longtemps, et quoiqu'elle eût fait le trajet presque au pas de course, le déjeuner était prêt lorsqu'elle arriva à la maison.

— Je suis désolée d'être restée si longtemps, mais il s'est passé des tas de choses, s'excusa-t-elle.

— Ah, oui? fit Maman.

Et Carrie demanda :

— Qu'est-ce qui s'est passé?

Laura leur dit avoir rencontré Mary Power et vu M. McKee.

— J'ai parlé trop longtemps avec Mary Power, avoua-t-elle, mais le temps a passé si vite que je ne me suis pas rendu compte qu'il était si tard.

Puis elle leur conta le reste.

— Mlle Bell aimerait que je travaille pour elle dans sa boutique. Est-ce que je peux, Maman?

— Comment, Laura, est-ce que je sais! s'exclama Maman, tu viens tout juste de rentrer chez nous.

— Elle me donnera cinquante cents par jour, pour travailler de sept heures à cinq heures, à condition que j'apporte mon repas, expliqua Laura.

— Ça me paraît correct, intervint Papa, d'accord pour que tu apportes ton déjeuner, mais tu quittes une heure plus tôt.

188

— Mais tu es revenue pour être avec Marie, objecta Maman.

— Je sais, Maman, mais je la verrai le matin, le soir et tout le dimanche, insista Laura. Je ne sais pas comment ça se fait, mais j'ai le sentiment qu'il faut que je gagne quelque chose.

— Voilà ce qui se passe, une fois que l'on commence à gagner de l'argent, remarqua Papa.

— Cela me fera trois dollars par semaine, et en plus je verrai Marie. Nous aurons plein de temps pour faire des tas de choses ensemble, n'est-ce pas Marie?

— Mais oui, et pendant que tu seras partie je pourrai faire le ménage que tu fais d'habitude, proposa Marie. Et le dimanche, nous ferons nos promenades.

— Cela me fait penser que la nouvelle église est terminée, annonça Papa.

— Je serai si contente de voir la nouvelle église! Je n'arrive pas à croire qu'il y en ait une, dit Marie.

— Elle est bien là, lui assura Papa, nous le verrons par nous-mêmes demain.

— Et après-demain? s'inquiéta Laura.

— Oui, tu peux aller chez Mlle Bell. Tu peux toujours essayer un moment, accepta Maman.

Le dimanche matin, Papa attela les chevaux au chariot, et tous s'en furent à l'église. Elle était spacieuse, toute neuve, avec de longs bancs confortables. Elle plut beaucoup à Marie, comparée à la petite chapelle du collège, mais elle n'y rencontra que très peu de personnes connues. Sur le chemin du retour, elle déclara :

— C'est fou ce qu'il y avait d'étrangers !

— Ils vont et viennent, lui dit Papa. A peine ai-je fait la connaissance d'un nouveau venu qu'il vend son droit à la concession et s'en va plus à l'Ouest, ou bien c'est sa famille qui ne supporte pas l'endroit, et alors il vend tout et retourne dans l'Est. Les rares qui ne lâchent pas sont si occupés qu'on n'a pas le temps de se connaître.

— Ça n'a pas d'importance, bientôt je retournerai au collège, et là-bas, je connais tout le monde.

Après le déjeuner, quand tout le travail fut achevé, Carrie s'installa pour lire la revue des *Compagnons de la Jeunesse,* Grace sortit jouer avec les chatons, dans l'herbe neuve, près de la porte, Maman se reposa dans son fauteuil à bascule, auprès de la fenêtre, et Papa alla s'allonger pour faire son petit somme dominical. Laura dit alors :

— Viens, Marie, allons faire notre promenade.

Elles allèrent à travers la prairie, en direction du sud. Partout, sur leur passage, les roses sauvages de juin étaient en fleurs. Laura les cueillit et en fit une pleine brassée pour Marie.

— Oh! comme c'est bon! ne cessait de répéter Marie. Je n'ai pas eu le plaisir de voir les violettes de printemps, mais je crois que rien ne sent aussi bon que les roses de prairie. C'est si agréable d'être de nouveau à la maison, Laura, même si je ne peux pas y rester longtemps.

— Nous avons jusqu'à la mi-août, mais les roses ne tiendront pas jusque-là, dit Laura.

— « Cueillez les roses lors vous pouvez », commença Marie et elle récita le poème à l'intention de Laura.

Puis, tandis qu'elles marchaient dans le doux vent chargé de la senteur des roses, Marie parla de ses études en littérature.

— J'ai l'intention d'écrire un livre, un jour, confia-t-elle.

Puis elle dit :

— Mais j'avais aussi l'intention d'enseigner, et c'est toi qui le fais à ma place, alors peut-être que ce sera toi qui écriras le livre.

— Moi, écrire un livre? se récria Laura.

Et elle ajouta joyeusement :

— Moi je serai une institutrice vieille fille, comme Mlle Wilder. Je te laisse l'écrire toi-même! De quoi vas-tu parler?

Mais Marie avait déjà l'esprit ailleurs; elle demanda :

— Où est ce jeune Wilder dont Maman m'a

parlé dans ses lettres? On devrait bien le voir un de ces jours.

— Je crois qu'il est trop occupé avec sa concession, tout le monde est occupé, répondit Laura.

Elle passa sous silence leur brève rencontre en ville. Pour une raison qu'elle ne pouvait s'expliquer, elle hésitait à en parler. Elles firent demi-tour et rentrèrent assez rapidement à la maison, y apportant le parfum des roses qu'elles tenaient dans leurs bras.

L'été passait vite. Chaque jour de semaine, Laura s'en allait à pied, de bon matin, à la ville, emportant avec elle le récipient contenant son repas. Souvent Papa l'accompagnait, car il exécutait des travaux de charpenterie sur de nouvelles bâtisses que construisaient les nouveaux arrivants. Laura percevait le bruit des marteaux et des scies, tandis qu'elle cousait patiemment, toute la journée durant, ne s'arrêtant que pour manger son repas froid, à midi. Puis, avec Papa souvent, elle regagnait à pied la maison. Parfois, à force d'être penchée sur son ouvrage, elle ressentait une douleur au creux des épaules, mais qui disparaissait toujours pendant le trajet. Puis, venait l'heureuse soirée en famille.

Au cours du dîner, Laura racontait tout ce qu'elle avait vu et entendu dans la boutique de Mlle Bell, Papa leur faisait part de toutes les nouvelles qu'il avait recueillies, et tous parlaient des petits événements survenus durant la journée, sur la concession et dans la maison : comment poussaient les céréales, où en était Maman dans ses travaux de couture pour Marie, combien Grace avait découvert d'œufs, ou comment la poule tachetée avait dissimulé son nid et avait réapparu avec vingt poussins.

C'est alors qu'ils étaient à table que Maman leur rappela que le lendemain était le quatre juillet.

— Qu'allons-nous faire à ce propos? dit-elle.

— Je ne crois pas que nous puissions y faire quoi que ce soit, Caroline. Je ne vois aucun moyen d'empêcher que demain soit le quatre, la taquina Papa.

— Voyons, Charles! lui reprocha Maman en souriant. Est-ce que nous allons à la fête?

Le silence se fit autour de la table.

— Si vous parlez tous en même temps, je ne peux rien entendre, plaisanta Maman à son tour. J'ai tellement joui de la présence de Marie que j'ai complètement oublié le quatre, et rien n'est prêt pour une fête.

— Chaque jour de ces vacances est pour moi une fête, et pour moi c'est suffisant, dit calmement Marie.

— Je suis allée tous les jours en ville, et ce serait bien agréable pour moi de ne pas y aller

pour une fois, déclara Laura, puis elle ajouta :
Mais il y a Carrie et Grace.

Papa reposa son couteau et sa fourchette.

— Je vais vous dire, Caroline, toi et les filles
vous allez préparer un bon déjeuner, et moi j'irai
demain matin à la ville acheter quelques sucre-
ries et des feux de bengale, et nous ferons notre
propre fête de quatre juillet, ici, à la maison.
Qu'est-ce que vous en dites?

— Achète plein de bonbons, Papa! le supplia
Grace.

Carrie s'empressa d'ajouter :

— Et plein de feux de bengale!

Tous s'amusèrent tant, le jour suivant, que
tout le monde s'accorda à dire qu'il était bien
plus drôle d'être resté sur place. Laura se
demanda à une ou deux reprises si Almanzo
Wilder était en ville avec ses chevaux bais, et la
pensée de Nellie Oleson lui traversa rapidement
l'esprit. Mais si Almanzo désirait la revoir, il
savait où elle se trouvait. Ce n'était pas son rôle
d'y faire quoi que ce soit, et elle n'en avait
d'ailleurs pas l'intention.

Trop vite, l'été s'acheva. La dernière semaine
d'août, Marie repartit pour le collège, laissant un
vide dans la maison. Papa coupait à présent
l'avoine et le blé à l'aide de sa vieille faux; les
champs étaient encore si petits qu'il se refusait à
payer la location d'une moissonneuse. Quand le

maïs fut mûr, il le coupa et le mit en silo dans le champ. Papa était mince, fatigué par tous les durs travaux qu'il avait faits tant à la ville qu'aux champs, et se sentait mal à l'aise, car trop de gens venaient s'installer dans le pays.

— J'aimerais aller plus à l'ouest, dit-il un soir à Maman. On ne peut plus respirer ici, il n'y a plus d'espace.

— Oh, Charles! avec toute cette grande prairie qui nous entoure? s'indigna Maman. Je suis si lasse d'être traînée d'un endroit à un autre... je croyais que nous étions fixés pour de bon.

— Oui, sans doute, Caroline. Ne te fais pas de bile. Ce ne sont que mes pieds de nomade qui me chatouillent, j'imagine. De toute façon, je n'ai pas encore gagné mon pari avec l'Oncle Sam, et nous resterons ici jusqu'à ce que je l'aie gagné! Jusqu'à ce que j'aie fait valoir mes droits aux terres de cette concession.

Comme il se tenait debout sur le seuil de la porte, le regard perdu à l'ouest, par-delà la prairie vallonnée, Laura comprit ce qu'il ressentait, à la mélancolie qui se lisait dans ses yeux bleus — il lui fallait demeurer dans une contrée colonisée, pour l'amour des siens, tout comme elle devrait à nouveau enseigner, bien qu'elle détestât être enfermée dans une salle de classe.

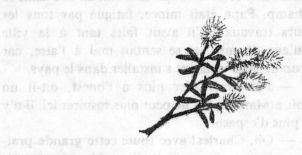

CHAPITRE 17

LE DRESSAGE DES POULAINS

Les premiers jours d'octobre étaient là et les oies sauvages s'envolaient vers le sud quand, une fois de plus, Papa chargea le mobilier sur le chariot, et tous réintégrèrent la maison en ville. D'autres personnes quittaient elles aussi la campagne pour regagner la ville, et les bancs de l'école se peuplaient peu à peu.

Parmi les grands, la plupart des garçons ne fréquentaient plus l'école. Certains avaient emménagé définitivement sur les terres des concessions, Ben Woodworth travaillait au chantier, Frank Harthorn était occupé au magasin, et Cap Garland travaillait avec son attelage, charroyant du foin, du charbon ou toute autre marchandise qu'on lui demandait de transporter en ville ou à l'intérieur des terres. Malgré cela, il n'y avait plus assez de place à l'école, car la contrée était envahie de nouveaux venus dont les enfants allaient en classe. Les plus petits étaient entassés à trois sur un même banc, et, de toute évidence, il était indispensable qu'une plus grande école fût construite avant l'hiver.

Un jour, en rentrant de l'école, Laura et Carrie trouvèrent Maman assise dans le petit salon, en compagnie de visiteurs. L'homme leur était inconnu, mais Laura eut le sentiment de connaître la jeune femme qui la regardait posément. Maman souriait et resta un moment silencieuse, tandis que Laura et la jeune femme se dévisageaient l'une l'autre.

Puis la jeune femme sourit, et Laura la reconnut — c'était cousine Alice! Alice qui, avec Ella et Peter, était venue passer Noël dans la petite maison de rondins, dans les Grands Bois. Alice et Marie étaient alors les grandes, et Ella, la compagne de jeux de Laura. Tout en l'embrassant, Laura demanda à Alice :

— Ella est-elle venue aussi?

— Non, elle et son mari n'ont pas pu venir, dit Alice, mais voici un cousin que tu n'as encore jamais vu, mon mari, Arthur Whiting.

Arthur était grand, avec des yeux sombres et des cheveux noirs; il était charmant et plut beaucoup à Laura, mais bien qu'Alice et lui eussent séjourné toute une semaine chez eux, elle eut l'impression qu'il demeurait un étranger. Alice ressemblait tant à Marie qu'elle faisait partie de la famille. Chaque jour, Laura et Carrie se hâtaient de rentrer de l'école, car elles savaient qu'Alice serait dans le petit salon inondé de soleil avec Maman.

Le soir, après le dîner, ils faisaient tous griller du popcorn, confectionnaient des caramels au beurre, écoutaient Papa jouer du violon et parlaient sans fin des jours anciens et de leurs projets d'avenir.

Lee, le frère d'Arthur, avait épousé Ella, et tous quatre avaient pris des concessions attenantes, à soixante-cinq kilomètres de là seulement. Peter devait venir les retrouver au printemps.

— Cela fait bien longtemps que nous étions tous ensemble dans les Grands Bois, et voilà que maintenant, nous nous réunissons, ici, dans la Prairie, observa Alice un soir.

— Si seulement ton père et ta mère venaient, ajouta Maman, une pointe de regret dans la voix.

— Je pense qu'ils vont rester dans l'est du

198

Minnesota, lui dit Alice. Ils ne sont pas allés plus loin, et ils ont l'air d'être satisfaits.

— C'est curieux, remarqua Papa, que les gens aillent toujours plus à l'ouest. Ici, c'est comme la crête d'une vague quand la rivière monte. Ils vont et s'en vont, reviennent et repartent, mais

tout le temps, la majorité d'entre eux continue d'avancer vers l'ouest.

Alice et Arthur ne restèrent qu'une semaine. Le samedi matin, à l'aube, bien emmitouflés, des briques chaudes à leurs pieds et des pommes de terre brûlantes glissées dans leurs poches, ils entreprirent la course de soixante-cinq kilomètres en traîneau qui devait les ramener chez eux.

— N'oublie pas de dire toute mon affection à Ella, recommanda Laura comme elle embrassait à nouveau Alice pour lui dire au revoir.

Il faisait un temps idéal pour la promenade en traîneau : le ciel était limpide, sans l'ombre d'un nuage de tempête, la température était en dessous de — 18° et la neige partout profonde. Mais, cet hiver-là, il n'y eut pas de rassemblement de traîneaux; peut-être était-ce dû au fait que les garçons faisaient trop travailler leurs chevaux durant la semaine. De temps à autre, Laura apercevait de loin Almanzo et Cap. Ils dressaient deux chevaux pour l'attelage et semblaient fort affairés.

Un dimanche après-midi, Laura les vit passer plusieurs fois devant la maison. Tour à tour, Almanzo et Cap allaient, arc-boutés dans le coupé, maintenant les guides de toutes leurs forces, tandis que les poulains fougueux tentaient de se dégager pour s'enfuir au galop. Papa leva à un moment les yeux de son journal et remarqua :

— Un de ces jeunes gens finira bien par se rompre le cou un de ces jours. Il n'y a pas un homme en ville qui voudrait s'attaquer à dresser des chevaux pareils.

Laura, qui était occupée à écrire une lettre à Marie, marqua une pause, et se mit à penser combien cela avait été une chance qu'Almanzo et Cap eussent pris les risques que nul autre ne voulait prendre, pour aller ravitailler en blé les gens qui mouraient de faim, pendant l'Hiver Sans Fin.

Elle était en train de mettre sa lettre sous enveloppe, quand quelqu'un frappa à la porte. Laura alla ouvrir et vit Cap qui se tenait là. Le visage éclairé de son large sourire rayonnant, il demanda :

— Aimeriez-vous faire une promenade en traîneau derrière les poulains?

Laura sentit son cœur se serrer; elle éprouvait beaucoup de sympathie à l'égard de Cap, mais n'avait aucune envie qu'il l'invitât à se promener en traîneau avec lui. Tout à coup elle imagina Mary Power avec Almanzo et ne sut que dire.

Mais Cap poursuivait :

— Wilder m'a chargé de vous demander, parce que les poulains ne veulent pas rester en place. Il sera là dans une minute et vous prendra, si vous voulez y aller.

— Oh, oui, bien sûr! s'exclama Laura. J'arrive, veuillez entrer.

— Non merci, je vais lui dire.

Laura se dépêcha, mais, déjà, les poulains fringuaient et piaffaient d'impatience lorsqu'elle arriva. Almanzo les retenait des deux mains et comme elle se hissait d'elle-même dans le coupé, il s'excusa :

— Désolé de ne pouvoir vous être utile!

Dès qu'elle fut assise, ils dévalèrent la rue à fond de train.

Aucun autre traîneau n'était de sortie, fort heureusement, si bien que la rue était dégagée alors que les chevaux luttaient pour échapper à la poigne d'Almanzo. Ils continuèrent à filer, loin sur la route au sud de la ville.

Laura observait en silence leurs sabots lancés au grand galop et leurs oreilles couchées. C'était fort amusant; cela lui rappelait l'époque lointaine où cousine Lena et elle-même avaient laissé les poneys noirs galoper à travers la prairie, le mors aux dents. Le vent lui fouettait le visage, glacial, et de petits amas de neige, arrachés au sol, volaient sur les couvertures de fourrure. Puis les poulains hochèrent de la tête, dressèrent leurs oreilles et laissèrent Almanzo diriger leurs pas fringants de nouveau en direction de la ville.

Il la regarda curieusement :

— Savez-vous qu'il n'y a pas un homme en ville, mis à part Cap, qui accepte de monter derrière ces poulains?

— C'est ce qu'a dit Papa.

— Alors pourquoi êtes-vous venue?

— Mais, j'ai pensé que vous étiez capable de les conduire, répondit Laura avec surprise.

Elle demanda à son tour :

— Mais pourquoi ne prenez-vous pas Prince et Lady?

— Je veux vendre ces poulains, et il faut d'abord que je les dresse à être attelés, expliqua Almanzo.

Comme les chevaux essayaient de reprendre le galop, Laura se tut. Ils se savaient en direction de l'écurie et voulaient y arriver rapidement. Almanzo avait besoin de toute son attention et de toute la puissance de ses muscles pour les maintenir au trot, lequel était rapide et combatif. La Grand-Rue défila comme l'éclair, dans une sorte de brouillard, et loin sur la prairie au nord, en dehors de la ville, Almanzo apaisa les poulains et leur fit faire à nouveau demi-tour. Laura se mit à rire :

— Si c'est ça les dresser, je suis contente de vous aider!

Ils ne parlèrent plus guère jusqu'à ce qu'une heure se fût écoulée et que le soleil d'hiver commençât à sombrer à l'horizon. Arrivés à la porte de la maison, Laura se glissa prestement hors du traîneau tandis qu'Almanzo retenait les poulains.

— Je viendrai vous chercher dimanche, dit-il.

Mais les poulains firent un bond et s'éloignèrent en coup de vent, avant même que Laura eût le temps de répondre.

— J'ai peur de te voir aller derrière ces

chevaux, observa Maman comme Laura rentrait.

Papa leva les yeux de son journal :

— C'est à croire que Wilder cherche à te tuer, mais à voir la façon dont tes yeux brillent, j'ai l'impression que tu y prends plaisir.

Après cela, Almanzo vint chercher Laura tous les dimanches après-midi pour l'emmener faire une promenade en traîneau. Mais, auparavant, Cap et lui prenaient soin de sortir les poulains, plus de la moitié de l'après-midi, afin de les calmer ; et, quoi qu'elle pût dire, jamais Laura ne parvenait à convaincre Almanzo de lui laisser tenir les guides, avant que les poulains fussent un tant soit peu fatigués.

Un arbre de Noël avait été dressé cette année-là dans la nouvelle église. Laura et Carrie se souvenaient d'un arbre de Noël, il y avait bien longtemps, dans le Minnesota, mais Grace n'en avait jamais vu. Pour Laura, le meilleur moment de cette fête de Noël à l'église était celui où elle vit Grace contempler avec ravissement l'arbre de Noël avec ses bougies allumées, les petits sacs de gaze de couleurs vives, garnis de bonbons, et les cadeaux suspendus à ses branches.

Mais alors qu'elle attendait que l'on décrochât de l'arbre la poupée de Noël de Grace pour la lui apporter, quelqu'un remit à Laura un paquet. Elle en fut si surprise qu'elle était convaincue qu'il s'agissait d'une erreur. C'était un petit coffret de cuir noir, doublé de soie bleue; sur le bleu ravissant luisaient, tout blancs, une brosse à cheveux et un peigne en ivoire. Laura regarda une fois encore le papier d'emballage — son nom y était tracé en toutes lettres, d'une écriture qu'elle ne connaissait point.

— Qui peut bien m'avoir offert un tel cadeau, Maman? demanda-t-elle.

Papa se pencha alors pour l'admirer, lui aussi, et ses yeux pétillèrent.

— Je ne pourrais pas jurer quelle est la personne qui te l'a donné, Laura, dit-il, mais je peux te dire une chose : j'ai vu Almanzo Wilder acheter ce même coffret chez Bradley.

Et Papa sourit devant l'étonnement de Laura.

CHAPITRE 18

L'ÉCOLE PERRY

Ce jeudi, les premiers vents de mars soufflaient âprement quand Laura rentra de l'école. Elle arriva à la maison hors d'haleine, non seulement d'avoir lutté contre le vent mais sous l'effet de l'émotion que lui causait la nouvelle qu'elle rapportait. Avant qu'elle eût le temps de l'annoncer, Papa demanda :

— Caroline, est-ce que tu pourrais être prête à déménager sur la concession cette semaine?

— Cette semaine? répéta Maman, surprise.

— Le district scolaire a décidé de bâtir une

école sur la concession Perry, à la limite sud de la nôtre, expliqua Papa. Tous les voisins vont aider à la construire, mais ils veulent me prendre pour diriger le chantier. Il faudrait que nous ayons déménagé avant que je commence, et si nous y partons cette semaine, nous aurons largement le temps de finir l'école avant le premier avril.

— Nous pouvons partir quand tu veux, Charles, répondit Maman.

— Après-demain, alors? Il y a autre chose : Perry m'a dit que le conseil d'administration de leur district aimerait avoir Laura comme institutrice. Qu'en penses-tu Laura? Il va te falloir obtenir un nouveau certificat.

— Oh, ce serait un plaisir pour moi de faire l'école aussi près de la maison.

Elle leur fit alors part de sa nouvelle :

— Les épreuves du Certificat d'aptitude à l'enseignement ont lieu demain: M. Owen nous l'a annoncé aujourd'hui, et elles se passeront à l'école, si bien qu'il n'y aura pas classe demain. J'espère de tout cœur que j'arriverai à avoir un certificat du second degré.

— Je suis sûre que tu en es capable, l'encouragea Carrie avec vigueur, tu sais toujours tes leçons.

Laura en doutait un peu :

— Je n'ai plus le temps de réviser ni d'étudier; si je réussis, ce sera grâce à ce que je sais déjà.

— C'est le meilleur moyen, Laura, lui assura Maman, tu ne ferais que tout embrouiller en étudiant à la dernière minute. Si tu obtiens un second degré, nous en serons tous contents, et si ce n'est qu'un troisième degré, nous nous en contenterons.

— J'essaierai de faire de mon mieux.

Ce fut là tout ce qu'elle put promettre.

Le lendemain matin, tout émue, elle partit seule passer les épreuves du certificat, à l'école. La pièce paraissait étrange avec seuls ces quelques étrangers assis çà et là, parmi les bancs vides, et M. Williams au bureau, à la place de M. Owen.

Les listes de questions étaient déjà écrites au tableau. Mis à part le grattement des plumes sur le papier et les légers bruissements de feuilles retournées, ce fut le silence toute la matinée. M. Williams ramassait les copies toutes les heures, qu'elles fussent terminées ou non, et les notait à son bureau.

Laura termina toutes les épreuves en temps voulu, et, l'après-midi, M. Williams lui tendit un certificat. Son sourire était éloquent et elle sut, avant même de les lire d'un rapide coup d'œil, les mots qu'il y avait écrits · Deuxième Degré.

Elle rentra à pied à la maison, mais en réalité,

elle dansait, courait, riait et poussait des cris de joie. Sans dire un mot, elle tendit le certificat à Maman et vit tout son visage s'illuminer d'un sourire.

— Je te l'avais dit! Je t'avais dit que tu l'aurais! chanta Carrie, pleine d'admiration.

— J'étais sûre que tu réussirais, à condition que tu ne sois pas troublée par le fait que c'était ton premier examen en présence d'étrangers, la félicita Maman.

— Et maintenant, je vais t'annoncer mon autre bonne nouvelle, dit Papa avec le sourire. Je l'avais gardée en réserve comme récompense après l'examen : Perry a dit que tu recevrais vingt-cinq dollars par mois, pour trois mois de classe, avril, mai et juin.

Laura en resta presque sans voix.

— Oh!... je ne m'attendais pas à... Mais! Mais, Papa... cela va faire un peu plus d'un dollar par jour.

Grace ouvrait de grands yeux ronds. D'un ton plein de respect, elle déclara solennellement :

— Laura va être riche.

Ils éclatèrent tous d'un rire si joyeux que Grace elle-même ne put s'empêcher de rire, sans comprendre pourquoi. Quand ils eurent retrouvé leur sérieux, Papa remarqua :

— Maintenant, il va nous falloir déménager sur la concession et construire cette école.

Ainsi, durant les dernières semaines du mois de mars, Laura et Carrie se rendirent de nouveau à pied à l'école depuis la concession. Malgré les vents, le temps était printanier, et tous les soirs, à leur retour, elles constataient que les travaux avaient progressé pendant la journée; peu à peu, la petite école émergeait de la prairie, un peu plus au sud.

Dans les derniers jours du mois, les fils Perry la peignirent en blanc; jamais on n'avait vu plus jolie petite école.

Marchant dans l'herbe courte et neuve, Laura s'y rendit un beau matin. Elle se dressait, blanche comme neige, sur le sol verdoyant, avec ses rangées de fenêtres qui étincelaient sous les premiers rayons du soleil.

Le petit Clyde Perry, âgé de sept ans, jouait près du seuil de la porte, où il avait soigneusement posé son livre de lecture. Il mit la clef de la porte toute neuve dans la main de Laura, et dit d'un ton solennel :

— Mon père vous fait envoyer ça.

A l'intérieur, également, l'école était lumineuse et resplendissante. Le soleil pénétrait à flots par les fenêtres ouvertes à l'est. Les murs, faits de rondins, étaient nets et sentaient bon le bois neuf. Au bout de la pièce, occupant toute la largeur du mur, se dressait un tableau noir. Devant, se trouvait le bureau de la maîtresse, un bureau acheté dans le commerce, uniformément verni, qui luisait, couleur de miel, au soleil, et sur lequel reposait un gros dictionnaire.

Trois rangées de quatre pupitres nouvellement achetés, au brillant couleur de miel assorti au bureau, lui faisaient face. Les pupitres des deux rangées latérales étaient accolés aux murs, tandis que la troisième rangée occupait le centre de la pièce, avec une allée de part et d'autre.

Laura resta un moment sur le pas de la porte, à contempler cette pièce claire, gaie, luxueuse, puis elle s'avança jusqu'au bureau, sous lequel elle déposa son récipient, et suspendit sa capeline à un crochet au mur.

Une petite pendule faisait tic-tac, à côté du gros dictionnaire; les aiguilles indiquaient neuf heures. « Elle a dû être remontée hier soir », pensa Laura. Rien ne pouvait être mieux fini, plus parfait que cette jolie petite école.

Elle entendit des voix d'enfants à la porte, et alla inviter ses élèves à entrer.

Mis à part Clyde, il y en avait deux autres, un petit garçon et une petite fille, qui dirent se nommer Johnson. Tous deux étaient au cours élémentaire. C'était là tous les élèves de l'école. Aucun autre enfant ne vint, de tout le trimestre.

Laura trouvait que gagner vingt-cinq dollars par mois, pour faire la classe à trois enfants seulement, était trop. Mais lorsqu'elle fit cette réflexion à la maison, Papa répondit que ces trois enfants étaient en droit de recevoir une instruction, tout autant que s'ils avaient été douze, et qu'elle-même avait droit à ce salaire pour le temps qu'elle passait à les éduquer.

— Mais, Papa, protesta Laura, vingt-cinq dollars par mois!

— Ne te fais pas de souci pour ça, ils sont contents de t'avoir à ce prix-là. Dans les écoles plus importantes, ils donnent trente dollars.

Ce devait être juste, puisque Papa le disait. Laura se tranquillisa donc l'esprit en donnant à chacun de ses élèves la meilleure instruction possible. Ils apprenaient tous facilement. Outre la lecture et l'orthographe, elle leur apprit à écrire des mots et des chiffres, à faire les additions et les soustractions; elle était fière de leurs progrès.

Jamais encore elle ne s'était sentie aussi heureuse que durant ce printemps. Dans la douce fraîcheur du petit matin, elle partait à pied à l'école, par-delà le petit vallon bleu de violettes qui embaumaient tout l'air. Ses élèves étaient heureux eux aussi, tous des élèves en or, désireux d'apprendre et rapides. Tout comme elle, ils prenaient soin de ne point souiller ou ternir l'éclat de leur école flambant neuve.

Laura emportait ses propres livres à l'école et, entre chaque récitation de leçons, pendant que

212

ses jeunes élèves étudiaient à leurs places, elle travaillait à son bureau, faisant usage du gros dictionnaire. A la récréation et pendant la longue pause du déjeuner, tandis que les enfants jouaient, elle tricotait de la dentelle, consciente que les ombres des nuages se pourchassaient l'une l'autre, par-delà les fenêtres, là où chantaient les alouettes et où les petits gauphres couraient vivement à leurs occupations.

Il y avait, à la fin de chacune de ces heureuses journées, le retour à la maison en passant par le petit vallon où poussaient les violettes qui imprégnaient l'air de leur parfum.

Parfois, le samedi, Laura allait à travers la prairie, vers l'ouest, jusqu'à la concession du révérend Brown. C'était une longue promenade, de plus de deux kilomètres, qu'Ida et elle prolongeaient toujours jusqu'au sommet de l'éminence qui s'élevait au-delà de la maison. De là, elles distinguaient au loin, à cent kilomètres, les collines de Wessington, pareilles à un nuage bleu sur l'horizon.

— Elles sont si belles que cela me donne envie d'y aller, dit un jour Laura.

— Oh, je ne sais pas, répondit Ida, une fois là-bas, on ne verrait rien d'autre que des collines couvertes d'herbe normale, comme celle-ci.

Et en disant ces mots, elle poussa du pied une touffe d'herbe, où entre les brins morts de l'année précédente paraissait le vert tendre du printemps.

C'était vrai, en un sens, et faux à la fois. Laura ne savait exprimer ce qu'elle ressentait, mais pour elle, les collines de Wessington étaient plus que de vertes collines. Leurs contours imprécis leur conféraient l'attrait des pays lointains; elles étaient l'essence même du rêve.

Au retour, en fin d'après-midi, Laura songeait encore à ces collines, combien leur ombre floue, par-delà les kilomètres et les kilomètres de verte prairie onduleuse, paraissait mystérieuse sur ce fond de ciel bleu. Elle avait envie de parcourir, sans fin, ces kilomètres et de voir ce qui s'étendait au-delà des collines.

Laura savait que c'était là ce que ressentait Papa à l'égard de l'Ouest. Elle savait aussi que, comme lui, il lui fallait se contenter de rester là où elle était, d'aider aux travaux ménagers et d'enseigner.

Le même soir, Papa lui demanda ce qu'elle comptait faire de tout son argent, lorsqu'elle l'aurait.

— Mais, dit Laura avec surprise, je vous le donnerai, à toi et à Maman.

— Je vais te dire à quoi j'ai pensé, poursuivit Papa. Il faudrait que nous ayons un petit orgue ici, pour quand Marie revient en séjour, de façon qu'elle puisse travailler sa musique et ne pas perdre ce qu'elle apprend au collège; et ce serait bien pour vous aussi, les filles. Il y a des gens en ville qui sont en train de tout vendre avant de repartir dans l'Est, ils en ont un, et je pourrais l'avoir pour cent dollars. C'est un bon orgue, je l'ai essayé pour me rendre compte. Si tu donnais ton salaire, je pourrais mettre les vingt-cinq dollars restants, et à côté de ça, je pourrais construire une pièce supplémentaire, de façon à ce qu'on ait un endroit où le mettre.

— Je serais contente de contribuer à cet achat, répondit Laura, mais tu sais que je n'aurai les soixante-quinze dollars qu'après la fin du trimestre d'école.

— Laura, intervint Maman, il faudrait que tu penses à te rhabiller un peu. Tes robes de calicot peuvent aller pour l'école, mais tu as besoin d'une nouvelle robe d'été pour le dimanche. Ta robe de linon d'il y a deux ans n'est vraiment plus mettable.

— Je sais, Maman, mais rends-toi compte, ce serait formidable d'avoir un orgue, et puis je pense pouvoir retravailler pour Mlle Bell et gagner de quoi m'acheter du tissu. L'ennui est que je n'ai pas encore l'argent de l'école.

— Tu es certaine de l'avoir, reprit Papa. Est-ce que tu es certaine d'avoir envie d'acheter un orgue avec?

— Oh, oui! rien ne me ferait plus plaisir que

d'avoir un orgue sur lequel Marie pourrait jouer quand elle revient à la maison.

— Alors, c'est décidé! conclut Papa, tout content. Je vais donner les vingt-cinq dollars comme acompte, et ces gens me feront confiance pour le reste, jusqu'à ce que tu l'aies. Sapristi! j'ai envie de fêter ça. Apporte-moi mon violon, Demi-Chope, qu'on joue un petit brin de musique, sans l'orgue.

Et tandis qu'ils étaient tous assis dans la douceur du crépuscule printanier, Papa se mit à chanter gaîment :

« *A la belle aux seize timides printemps,*
A l'extravagante reine audacieuse,
A la femme de cinquante ans,
Et à la ménagère parcimonieuse!
A l'enchanteresse aux fossettes tant prisées,
Et, à celle qui n'en a point, Monsieur!
A la jeune fille aux yeux bleu irisé,
Et, à la nymphe qui n'en a qu'un, Monsieur! »

Son humeur changea, et la voix du violon changea, elle aussi :

« *Dans l' sud suis descendu voir ma Lily,*
Polly, wolly, doodle, tout le jour chantez!
Courageuse était ma petite a-amie,
Polly, wolly, doodle, tout le jour chantez.

Adieu, adieu, fée qui m'enchantez,
Je pars pour la Louisiane
Y voir ma p'tite Suzy-Anne,
Polly, wolly, doodle, tout le jour ai chanté. »

Les ombres se faisaient plus denses. La terre s'évanouissait, envahie de ténèbres, et les étoiles scintillaient, toutes proches, dans le ciel clair, tandis que le violon chantait sa ballade solitaire.

CHAPITRE 19

LA ROBE DE POPELINE DE SOIE MARRON

Depuis que Maman avait fait allusion à ses vêtements, Laura se rendait compte qu'elle devait y faire quelque chose. C'est pourquoi, le samedi de bon matin, elle partit à pied voir Mlle Bell en ville.

— Je serai même très contente d'avoir votre aide, affirma Mlle Bell. Il y a tant de nouveaux habitants en ville que je ne sais plus où donner de la tête pour me tenir à jour, depuis quelque temps. Mais je croyais que vous faisiez la classe ?

— Pas le samedi, dit gaîment Laura, et, à

partir de juillet, je peux venir travailler toute la semaine, si vous voulez.

Ainsi, tous les samedis, elle passa toute la journée à coudre pour Mlle Bell. Avant la fin de son trimestre d'école, elle fut en mesure d'acheter dix mètres d'une magnifique popeline de soie marron, que Mlle Bell avait fait venir de Chicago. Chaque soir, quand elle rentrait à la maison, il y avait quelque chose de nouveau à voir, car Maman lui confectionnait sa robe de popeline de soie, et Papa construisait la nouvelle pièce pour l'orgue. Il la bâtit le long de la façade est de la maison, avec une porte qui s'ouvrait au nord, en regard de la ville, et deux fenêtres qui donnaient à l'est et au sud. Sous la fenêtre exposée au sud, il fit une banquette, suffisamment large pour qu'une personne pût y dormir, de façon qu'elle pût servir de lit d'appoint.

Un soir, en arrivant à la maison, Laura trouva la nouvelle pièce tout à fait meublée. Papa y avait installé l'orgue auprès de la porte, contre le mur situé au nord. C'était un bel instrument en bois de noyer ciré. Faisant saillie, le buffet d'orgue, tout de bois luisant, touchait presque le plafond. Trois parfaits petits miroirs de glace épaisse étaient incrustés dans le superbe noyer de la console, avec, de chaque côté du porte-musique, une solide tablette destinée à recevoir une lampe. Le porte-musique incliné était en bois ajouré, ouvragé de volutes et doublé d'étoffe rouge; il pivotait au moyen de charnières et révélait, à l'arrière, un classeur pour les recueils de musique. Plus bas, le long abattant de bois lisse pouvait se rabattre à l'intérieur de l'orgue ou, au contraire, s'abaisser et protéger la rangée de touches noires et blanches. Au-dessus de ce clavier, se trouvait une rangée de boutons d'appel ou registres sur lesquels étaient indiqués tremolo et forte et d'autres noms encore, et qui modifiaient la résonance de l'orgue lorsqu'on les tirait. Il y avait sous les touches une combinaison de leviers qui se rabattaient contre l'orgue ou s'avançaient, si bien qu'avec ses genoux l'organiste pouvait les actionner; sortis, ils rendaient un son plus fort. Juste au-dessus du sol, se trouvaient deux pédales, garnies de feutre, qu'avec ses pieds l'organiste devait presser et relâcher afin de commander les soupapes.

Un tabouret en bois de noyer allait avec ce bel orgue. Il était constitué d'un plateau rond, reposant sur quatre pieds incurvés. Grace était si excitée à propos de ce tabouret, que Laura avait bien du mal à regarder l'orgue.

— Regarde, Laura, regarde-moi! s'écriait Grace.

Et elle s'asseyait sur le tabouret et tournoyait. Le siège était monté sur vis, si bien qu'il se levait ou s'abaissait selon que Grace tournoyait dans un sens ou dans l'autre.

— Nous ne devons plus appeler ça une cabane de concession, désormais, remarqua Maman. C'est une vraie maison maintenant, avec ces quatre pièces.

Elle avait suspendu des rideaux de mousseline blanche aux fenêtres, bordés d'une dentelle faite aux aiguilles. L'étagère noire se dressait dans l'angle près de la fenêtre exposée au midi, et la console de bois sculpté, sur laquelle était posée la bergère de porcelaine, était accrochée sur le mur est. Les deux fauteuils à bascule étaient campés près de cette fenêtre et des coussins en patchwork de couleurs vives égayaient la banquette installée sous la fenêtre au sud.

— Quel endroit agréable pour coudre! dit Maman.

Elle contemplait en souriant de bonheur ce nouveau petit salon.

— Maintenant, je vais m'activer à ta robe, Laura. Peut-être pourrai-je l'avoir finie d'ici dimanche, s'empressa-t-elle d'ajouter.

— Ce n'est pas pressé, Maman, lui dit Laura. Je n'ai pas l'intention de la porter avant d'avoir mon nouveau chapeau. Mlle Bell est en train de me faire exactement le chapeau que je voulais, mais il faut que je travaille encore deux samedis pour pouvoir le payer.

— Alors, Laura, que penses-tu de ton orgue? demanda Papa qui rentrait de l'étable.

Dans la pièce attenante, qui maintenant n'était plus réservée qu'à l'usage de cuisine, Carrie filtrait le lait.

— Mon Dieu, Grace! s'écria Maman à l'instant précis où Grace et le tabouret tombaient avec fracas sur le plancher.

Grace se redressa sur son séant, trop effrayée pour proférer le moindre son; Laura elle-même regardait, horrifiée — le tabouret gisait en deux morceaux. Papa se mit alors à rire :

— Ce n'est rien, Grace, tu l'as juste complètement dévissé. Mais, poursuivit-il d'un ton sévère, laisse ce tabouret tranquille, maintenant.

— Oui, Papa, dit-elle tout en faisant l'effort de se relever.

La tête lui tournait tellement que Laura la remit sur pieds et la soutint tout en essayant de dire à Papa combien l'orgue lui plaisait. Elle avait hâte que Marie revînt pour en jouer et accompagner Papa au violon.

Au dîner, Maman fit à nouveau remarquer que leur habitation n'était plus une cabane de concession, la cuisine étant si spacieuse maintenant qu'il n'y avait plus dedans que le fourneau, le placard, la table et les chaises.

— Ce ne sera plus non plus une concession d'ici deux ans, lui rappela Papa. Encore dix-huit mois, et je serai en mesure de faire valoir mes droits, cette terre sera à nous.

— Je ne l'avais pas oublié, Charles. Ce sera un beau jour quand nous obtiendrons la patente du gouvernement. Raison de plus pour que nous appelions ça une maison, dorénavant.

— Et l'année prochaine, si tout va bien, elle sera clôturée et peinte, se promit Papa.

Le samedi suivant, Laura revint finalement avec son nouveau chapeau. Elle le portait avec précaution, bien enveloppé dans du papier pour qu'il fût protégé de la poussière.

— Mlle Bell a dit qu'il valait mieux que je le prenne avant que quelqu'un d'autre ne le voie et ne le veuille, expliqua Laura. Elle a dit que je pourrais tout aussi bien faire, après, le travail qui me restait à accomplir pour l'avoir.

— Tu pourras le porter demain pour aller à l'église, lui dit Maman, car j'ai terminé ta robe.

Maman avait étalé la robe de popeline de soie marron sur le lit de Laura, toute bien repassée et chatoyante, pour qu'elle pût la voir.

Quand tous l'eurent admirée, Carrie supplia :

— Oh, montre-nous aussi ton chapeau.

Mais Laura refusa de le déballer.

— Pas maintenant, dit-elle, je ne veux pas que vous le voyiez avant que je le mette avec ma robe.

Le lendemain matin, ils se levèrent tous de

bonne heure afin d'avoir le temps de s'apprêter pour aller à l'église. C'était une matinée fraîche et ensoleillée ; les alouettes des prés chantaient, et les rayons du soleil buvaient la rosée qui mouillait l'herbe de la prairie. Toute prête dans sa toilette de linon empesé, ses rubans du dimanche dans les cheveux, Carrie s'assit avec précaution sur son lit pour regarder Laura s'habiller.

— Tu as vraiment de beaux cheveux, Laura, dit-elle.

— Ils ne sont pas blond doré comme ceux de Marie, répondit Laura.

Mais ses cheveux, qu'elle brossait, étaient magnifiques dans la lumière du soleil. Ils étaient fins, mais très volumineux, et si longs qu'une fois défaits ils lui tombaient plus bas que les genoux, bruns et riches de reflets sur toute la longueur. Elle les lissa en arrière à la brosse jusqu'à ce qu'ils fussent satinés et en fit une grosse tresse qu'elle enroula et épingla en chignon. Elle ôta ensuite les bigoudis de sa frange et arrangea avec minutie la masse de cheveux bouclés. Elle enfila ses bas de dentelle blanche et boutonna ses bottines de cuir noir bien cirées.

Puis, délicatement, elle mit sa crinoline par-dessus ses premiers jupons. Cette nouvelle crinoline lui plaisait beaucoup, elle était à la toute dernière mode à New York, et c'était la première de ce modèle que Mlle Bell eût reçue; sur le devant, presque jusqu'à hauteur des genoux, de larges tresses de coton remplaçaient les cerceaux de métal, retenant les jupons, ce qui permettrait à sa robe de tomber bien à plat. Ces tresses maintenaient en place, à l'arrière, la tournure baleinée, laquelle était réglable; de petites tresses y étaient cousues de chaque côté et pouvaient être nouées l'une à l'autre pardessous, pour la faire plus ou moins bouffer, ou être reliées sur le devant, ce qui la faisait descendre plus près du corps et donnait ainsi à la robe un bel arrondi. Laura, qui n'aimait pas les tournures larges, attacha les tresses sur le devant.

Elle boutonna ensuite soigneusement, pardessus le tout, son plus joli jupon, puis fit glisser sur les multiples jupons amidonnés la sous-jupe de sa nouvelle robe. Elle était en percale marron, légèrement ajustée au niveau des hanches et sur la tournure, avec des lés taillés dans le biais, de sorte qu'elle s'évasait souplement sur la crinoline. Effleurant presque le sol, un volant de même popeline de soie que la robe, large de trente centimètres et bordé d'une ganse de soie marron unie de trois centimètres de large, en terminait le bas. L'étoffe de popeline n'était pas unie, mais à rayures de soie ajourée.

Laura mit enfin la polonaise par-dessus cette sous-jupe et le cache-corset blanc et empesé. Les longues manches droites lui moulaient les bras jusqu'aux poignets. Le haut, très ajusté, se boutonnait, sur tout le devant, par de petits boutons ronds recouverts de soie marron unie, tandis que la jupe, souple sur les hanches, s'évasait et tombait en larges godets qui couvraient le haut du volant. Un rappel de soie marron unie terminait les poignets, le pourtour du haut col droit et le bas de la robe.

Elle plaça autour du col un ruban bleu de cinq centimètres de large, qu'elle épingla à la base du cou avec la barrette ornée de perles que lui avait donnée Maman, et laissa pendre librement les deux extrémités jusqu'à la taille.

Puis, Laura sortit le chapeau de son emballage. Carrie, émerveillée, retint son souffle. C'était une paille de jonc, vert cendré, modelée en forme de capote. La coiffe emboîtait comme il faut la tête de Laura, tandis que les larges bords évasés, doublés d'un bouillonné de soie bleue, encadraient son visage. De larges rubans bleus, noués sur le côté gauche, la maintenaient bien en place.

Le bleu de la doublure, le nœud bleu et le tour-de-cou bleu s'assortissaient parfaitement au bleu de ses yeux.

Papa, Maman et Grace étaient prêts quand

Laura, suivie de Carrie, sortit de la chambre. Papa promena son regard du sommet de la tête de Laura au bas du volant de popeline marron, là où pointait le bout de ses bottines de fin cuir noir, puis déclara :

— Si le proverbe dit que la belle plume fait le bel oiseau, moi je dis qu'il a fallu un bien bel oiseau pour qu'y poussent de telles plumes.

Laura se sentait si flattée qu'elle fut incapable de parler.

— Tu es très jolie, la complimenta Maman, mais rappelle-toi que la beauté n'est pas tout.

— Oui, Maman, acquiesça Laura.

— C'est un drôle de chapeau, remarqua Grace.

— Ce n'est pas un chàpeau, c'est une capote, lui expliqua Laura.

Carrie déclara alors :

— Quand je serai une jeune dame, je gagnerai de l'argent pour m'acheter une robe exactement comme celle-ci.

— Tu en auras probablement une encore plus jolie, répondit rapidement Laura.

Mais la réflexion de Carrie l'avait frappée. Elle n'avait pas pensé qu'elle pût être une jeune dame ; mais bien sûr qu'elle en était une, avec sa chevelure ainsi relevée en chignon et ses longues jupes presque à ras du sol. Elle n'était pas certaine que cela lui fît vraiment plaisir.

— Venez, dit Papa, les chevaux attendent, et nous allons être en retard à l'église si nous ne nous dépêchons pas.

Laura trouva odieux d'être à l'église par une si belle journée ensoleillée; quant au sermon du révérend Brown, il semblait plus ennuyeux encore que de coutume. L'herbe sauvage de la prairie était maintenant verte par-delà les fenêtres ouvertes, et le vent léger qui caressait sa joue l'attirait. Comment ne pas attendre plus d'une pareille journée qu'aller à l'église et s'en retourner à la maison!

Maman, Carrie et Grace allèrent immédiatement se changer, mais Laura n'en avait aucune envie.

— Maman, puis-je garder ma robe, si je mets mon grand tablier et si je fais très attention? demanda Laura.

— Oui, si tu veux, permit Maman, il n'y a pas de raison que ta robe soit abîmée, si tu en prends soin.

Après le déjeuner, quand la vaisselle fut lavée, Laura alla se promener sans but autour de la maison, tout agitée; le ciel était d'un tel bleu, les nuages, voguant, étagés dans tout cet azur, étaient si lumineux, si nacrés, et la prairie partout si verdoyante... Les peupliers, en cercle autour de la maison, étaient en pleine croissance; les jeunes arbres que Papa avait plantés avaient à présent deux fois la taille de Laura et étendaient leurs branches ténues couvertes de feuilles bruissantes. Laura se tenait dans leur ombre vacillante, regardant à l'est, au sud, à l'ouest, admirant la pureté de cette journée, vide.

Elle porta son regard en direction de la ville et vit bientôt un boghei tourner à toute allure au coin des écuries de louage des Pearson, et filer sur la route qui conduisait au Grand Marais.

C'était un boghei neuf, sans aucun doute; les roues et la carrosserie étincelaient, flamboyaient sous les rayons du soleil. Les chevaux étaient bais et trottaient tous deux à la même cadence. Etaient-ce les poulains qu'elle avait aidé à dresser? Mais oui, c'étaient eux, et comme ils tournaient dans sa direction et traversaient le marais, elle vit qu'Almanzo tenait les guides. Ils remontèrent la fondrière au trot, et le boghei s'arrêta près d'elle.

— Vous plairait-il d'aller faire une promenade en boghei? demanda Almanzo.

Comme Papa sortait sur le pas de la porte, Laura répondit comme elle l'avait toujours fait jusqu'alors :

— Oh, oui! J'arrive dans une minute.

Elle noua sa capote sur sa tête et avertit Maman qu'elle partait faire une promenade en boghei. Carrie, les yeux brillants, arrêta Laura et, se levant sur la pointe des pieds, lui murmura :

— Tu es contente de ne pas t'être changée, hein?

— Oui, je suis contente, lui murmura Laura à son tour puis s'en fut.

Elle était ravie que sa robe et sa capote fussent à ce point jolies. Almanzo étendit délicatement la couverture de toile, et Laura la rentra comme il faut sous le volant afin de préserver sa robe de popeline de soie de la poussière. Puis, ils s'en allèrent, dans le soleil, en direction des lacs Henry et Thompson qui s'étendaient loin au sud.

— Comment trouvez-vous ce nouveau boghei? demanda Almanzo.

C'était un boghei magnifique, tout laqué de noir et brillant, avec, à l'intérieur des roues, des rayons rouges vernissés. Le siège était large, à dossier incliné et rembourré; à chacun des bouts, des montants noirs, luisants, étaient rabattus vers la capote repliée à l'arrière. Jamais Laura n'était encore montée dans un boghei sı luxueux.

— Il est joli, dit-elle.

Et elle se laissa aller confortablement contre le coussin de cuir.

— C'est la première fois que je vais dans un boghei dont le dossier est incliné, remarqua-

t-elle. Il n'est pas tout à fait aussi haut que ceux qui sont simplement en bois, n'est-ce pas?

— Ce n'en sera peut-être que mieux, dit Almanzo.

Tout en disant ces mots, il allongea son bras sur le rebord du dossier. Ce n'était pas à proprement parler une étreinte, mais il avait son bras contre les épaules de Laura. Elle eut un petit haussement d'épaules, mais Almanzo n'écarta pas son bras, aussi se pencha-t-elle en avant et secoua le fouet dressé dans son support sur le garde-boue. Les poulains firent un bond en avant et prirent le galop.

— Oh, petit monstre! s'écria Almanzo.

Il saisit les rênes bien en mains et arc-bouta ses pieds contre le garde-boue. Il avait bien besoin de ses deux mains pour contrôler les poulains.

Au bout d'un moment, les poulains, plus calmes et paisibles, reprirent le trot.

— Et s'ils s'étaient emballés? demanda Almanzo d'un ton indigné.

— Il aurait fallu qu'ils galopent longtemps avant d'arriver au bout de la prairie! répondit Laura tout en riant, et d'ailleurs, il n'y a aucun obstacle d'ici à là.

— C'est égal! rétorqua Almanzo, qui ajouta plus calmement : Vous êtes quelqu'un d'indépendant, n'est-ce pas?

— Oui, répondit Laura.

Ils parcoururent un long trajet, cet après-midi-là, jusqu'au lac Henry dont ils firent le tour. Seule une étroite langue de terre le séparait du lac Thompson. Il n'y avait entre ces deux nappes d'eau bleue que la largeur suffisante au passage des roues d'un chariot. De jeunes peupliers et de jeunes amélanchiers, aux troncs grêles, s'élevaient, de part et d'autre, en bordure de cet étroit chemin, au-dessus d'entrelacs de vignes sauvages. Il y faisait frais. Le vent soufflait à la surface de l'eau, et, entre les arbres, ils apercevaient les petites vagues qui se brisaient de chaque côté sur la rive.

Roulant lentement, Almanzo parlait à Laura des trente-deux hectares de blé et des douze hectares d'avoine qu'il avait semés.

— Vous savez, je dois à la fois m'occuper de mon exploitation et de ma concession plantée d'arbres, dit-il. En plus, Cap et moi avons charroyé du bois sur de longues distances aux alentours de la ville pour qu'on puisse construire des maisons et des écoles dans toute la région. Il a fallu que je fasse ces transports pour pouvoir acheter ce nouveau boghei.

— Pourquoi ne pas utiliser celui que vous aviez? voulut savoir Laura, pleine de bon sens.

— Je l'ai vendu à l'automne dernier contre ces poulains, expliqua-t-il. Je savais que je pourrais les dresser pendant l'hiver en les attelant au traîneau, mais une fois venu le printemps, j'ai eu besoin d'un boghei. Si j'en avais eu un, je serais venu vous voir bien avant.

Tandis qu'ils poursuivaient leur conversation, il quitta le chemin qui séparait les deux lacs, contourna la pointe du lac Henry et partit à travers la prairie vers le nord. De temps à autre, ils apercevaient une nouvelle petite cabane de concession, avec, parfois, une étable et un champ d'herbe fraîchement retournée, à proximité.

— Cette contrée se peuple vite, remarqua Almanzo.

Ils tournèrent à l'ouest, longeant la rive du lac d'Argent pour rejoindre la concession de Papa.

— Nous n'avons fait que cinquante kilomètres, et nous avons dû voir au moins six maisons, poursuivit-il.

Le soleil disparaissait à l'horizon quand il l'aida à descendre du boghei à la porte de la maison.

— Si vous aimez autant les promenades en boghei que les promenades en traîneau, je reviendrai dimanche prochain, dit-il.

— J'aime les promenades en boghei, répondit Laura.

Soudain, elle se sentit tout intimidée et rentra en hâte dans la maison.

CHAPITRE 20

NELLIE OLESON

— Décidement, il ne pleut jamais sans qu'il pleuve à verse, déclara Maman.

Assez curieusement, en effet, un jeune homme qui vivait sur une concession avoisinante vint à passer, le mardi soir, pour inviter Laura à venir se promener avec lui en boghei le dimanche suivant. Le jeudi soir, un autre voisin l'invita à venir se promener en boghei avec lui le dimanche suivant. Et comme elle rentrait à pied le samedi soir, un troisième jeune homme la croisa en chemin et, après l'avoir reconduite à la maison dans son chariot, l'invita à venir se promener avec lui en boghei le lendemain.

Le dimanche en question, Almanzo et Laura prirent au nord la route qui passait devant les deux concessions d'Almanzo pour se rendre au lac Spirit. Une petite cabane de concession était bâtie au milieu de ses terres, il n'y avait par contre aucune construction sur sa concession boisée, mais les jeunes arbres croissaient bien. Il les avait plantés avec soin et était tenu de les entretenir pendant cinq ans, après quoi, il pourrait faire valoir ses droits à la concession et devenir propriétaire des terres. Les arbres se développaient beaucoup mieux qu'il ne l'avait prévu; il disait que si des arbres arrivaient à pousser sur ces prairies, ils y auraient poussé, selon lui, à l'état naturel, bien avant.

— Ces experts du gouvernement ont un projet bien défini, expliqua-t-il à Laura. Ils vont couvrir d'arbres ces prairies, partout du Canada jusqu'au Territoire indien. Tout est tracé sur plans dans les bureaux de l'aménagement du territoire, à savoir où doivent être plantés les arbres, et on ne peut obtenir ces terres si ce n'est en tant que concessions à boiser. Ils ont certainement raison sur un point : si la moitié de ces arbres persistent, ils vont proliférer dans toute la contrée et la convertir en forêts, tout comme les bois, là-bas dans l'Est.

— Vous croyez? demanda Laura, stupéfaite.

Pourtant, elle ne pouvait imaginer ces prairies converties en forêts, comme dans le Wisconsin.

— Enfin, qui vivra verra, répondit-il. En tout cas, je fais ma part, et dans la mesure du possible, je maintiendrai ces arbres en vie.

Le lac Spirit était d'une beauté sauvage. Là, Almanzo longea une rive rocheuse, où l'eau était profonde et où les vagues couraient, écumantes, sous la poussée du vent et venaient se jeter haut sur les rochers. Un tertre érigé par les Indiens se dressait aux abords du lac. C'était, disait-on, un lieu de sépulture, bien que personne ne sût ce qu'il renfermait. De hauts peupliers poussaient là et des amélanchiers enfouis sous la vigne sauvage.

Au retour, ils regagnèrent la ville en passant devant la concession des Oleson. Celle-ci était située dans la zone de lotissement, à un kilomètre et demi à l'est des terres d'Almanzo. Laura n'avait encore jamais vu la maison de Nellie Oleson, et elle ressentit un léger sentiment de pitié pour Nellie quand elle vit cette cabane si petite, exposée au vent au milieu des herbes folles. M. Oleson n'avait pas de chevaux mais seulement un attelage de bœufs et le site n'était en rien agrémenté comme celui de Papa. Mais c'est tout juste si Laura y jeta un coup d'œil; elle ne voulait pas gâcher cette merveilleuse journée en accordant ne serait-ce qu'une pensée à Nellie Oleson.

— Au revoir, alors, à dimanche! dit Almanzo en la laissant à sa porte.

La région tout entière lui apparaissait sous un jour différent, maintenant qu'elle avait vu les lacs Henry et Thompson, le lac Spirit et son étrange tumulus indien, et elle se demandait ce que révélerait la prochaine promenade.

Le dimanche après-midi qui suivit, comme elle regardait le boghei traverser le Grand Marais, elle vit, à sa grande surprise, que quelqu'un accompagnait Almanzo. Elle se demanda qui cela pouvait bien être et pensa que peut-être Almanzo n'avait pas l'intention d'aller se promener.

Quand les chevaux s'arrêtèrent à la porte, elle vit qu'il s'agissait de Nellie Oleson. Sans même laisser à Almanzo le temps de parler, Nellie s'écria :

— Allez, Laura! Viens te promener en boghei avec nous!

— Besoin d'aide, Wilder? demanda Papa en s'approchant de la tête des poulains.

Et comme Almanzo lui répondait qu'il lui en saurait gré, Papa maintint les brides, cependant qu'Almanzo attendait pour aider Laura à monter dans le boghei, et elle le laissa faire sans même réaliser tant elle était stupéfaite. Nellie se poussa pour lui faire de la place et l'aida à border la couverture sous sa robe de popeline de soie.

Dès le départ, Nellie commença à pérorer. Elle s'extasiait sur le boghei, poussait des cris d'admiration à propos des poulains, louait la façon de conduire d'Almanzo, ne tarissait point d'éloges sur la toilette de Laura :

— Laura, ta capote est vraiment exquise!..

Jamais elle ne s'arrêtait, ne fût-ce que le temps de permettre une réponse. Elle avait une telle envie de voir les lacs Henry et Thompson! Elle trouvait le temps tout simplement exquis. et la région était plaisante, rien de comparable, bien sûr, à l'Etat de New York, mais personne ne s'attendait sérieusement à trouver l'équivalent à l'Ouest, n'est-ce pas?

— Pourquoi es-tu si silencieuse, Laura? demanda-t-elle.

Et sans s'interrompre, Nellie poursuivit en gloussant :

— Ma langue n'est pas faite pour se tenir tranquille, ma langue est faite pour babiller!

Laura avait mal à la tête et les oreilles bourdonnantes tant ce bavardage incessant lui était pénible; elle était furieuse. Almanzo semblait prendre plaisir à cette promenade; il donnait, à tout le moins, l'impression d'être amusé.

Ils allèrent jusqu'aux lacs Henry et Thompson et roulèrent sur l'étroite langue de terre qui les séparait. Nellie trouva que les lacs étaient tout simplement exquis; elle aimait les lacs, elle aimait l'eau, elle aimait les arbres et les vignes, et elle adorait tout simplement se promener le dimanche après-midi; elle trouvait que c'était tout simplement trop exquis!

Le soleil était déjà bien bas lorsqu'ils prirent le chemin du retour, et comme la maison de Laura se trouvait être la plus proche, ils s'y arrêtèrent en premier.

— Je viendrai dimanche prochain, lui dit Almanzo en l'aidant à descendre du boghei.

Et avant même que Laura pût parler, Nellie renchérit :

— Oh, oui, nous viendrons te chercher! N'as-tu pas trouvé que c'était agréable? C'était amusant, n'est-ce pas? Alors, à dimanche! n'oublie pas, nous viendrons, au revoir, Laura, au revoir!

Almanzo et Nellie s'éloignèrent en direction de la ville.

Durant toute la semaine, Laura délibéra si elle irait ou non. Elle n'éprouvait aucun plaisir à se promener en compagnie de Nellie. Par ailleurs, si elle refusait, Nellie serait trop contente; c'était en fait ce qu'elle désirait. On pouvait faire confiance à Nellie pour trouver le moyen d'aller se promener tous les dimanches avec Almanzo.

Laura prit la décision d'aller avec eux.

Le début de la promenade, le dimanche suivant, prit tout à fait le même tour que la précédente. La langue de Nellie allait bon train. Nellie, qui était d'humeur gaie, jasait et riait à l'intention d'Almanzo, ignorant presque Laura. Elle était certaine de son triomphe, car elle savait que Laura ne souffrirait pas longtemps cette situation.

— Oh, Mannie, ces poulains sauvages sont si bien dressés! Vous les avez si merveilleusement en mains! roucoulait-elle en s'appuyant contre le bras d'Almanzo.

Laura se pencha pour border davantage la couverture à ses pieds, et, tout en se redressant, laissa négligemment flotter le bout de la couverture au vent vif de la prairie. Les poulains quittèrent le sol d'un bond et prirent le galop.

Nellie se mit à pousser des cris perçants et redoublés, tout en s'agrippant au bras d'Almanzo, bras dont il avait, à cet instant précis, le plus grand besoin. Laura replia en silence le pan de la couverture sous elle et s'assit dessus.

Dès que la toile cessa de voltiger derrière eux, les poulains se calmèrent rapidement et reprirent leur trot de chevaux bien dressés.

— Oh, jamais je n'ai eu si peur, jamais je n'ai eu si peur de ma vie! babilla Nellie, haletante.

Les chevaux sont des bêtes vraiment trop sauvages! Oh, Mannie, pourquoi ont-ils fait ça? Ne les laissez pas recommencer!

Almanzo coula un regard vers Laura et ne dit mot.

— Les chevaux ne posent pas de problèmes quand on les comprend, remarqua Laura, mais je suppose que ceux-ci ne ressemblent pas aux chevaux de l'Etat de New York.

— Oh, jamais je ne comprendrai ces chevaux de l'Ouest. Ceux de New York sont calmes, eux, dit Nellie.

Elle se mit alors à parler de New York. Elle en parlait comme d'un endroit qui lui eût été familier. Laura ne connaissait absolument pas l'Etat de New York, mais elle savait que Nellie ne le connaissait pas plus qu'elle, alors qu'Almanzo, lui, le connaissait.

Ils approchaient du tournant qui menait à la maison, quand Laura proposa :

— Nous sommes si près de chez les Boast que ce serait gentil d'aller les voir, vous ne pensez pas?

— Si vous voulez, répondit Almanzo.

Au lieu de tourner à gauche, il continua droit au nord, par-delà la voie ferrée et plus loin à l'écart de la ville à travers la prairie, jusqu'aux terres de M. Boast. M. et Mme Boast sortirent à la rencontre du boghei.

— Vous m'en direz tant! Ainsi vous voilà trois dans ce boghei, dit M. Boast d'un ton taquin, les yeux noirs et pétillants. C'est un siège plus large que celui du coupé, celui-là était fait pour deux.

— Les bogheis sont différents, lui confia Laura.

— Ils ont l'air... commença M. Boast.

Mais Mme Boast l'interrompit :

— Voyons, Rob! Tu ferais mieux de demander à ces jeunes gens de descendre et de rester un petit moment.

— Nous ne pouvons pas rester, dit aussitôt Laura, nous ne faisons que passer.

— Nous faisons juste un tour de promenade, expliqua Almanzo.

— Alors faisons demi-tour ici, dit Nellie d'un ton autoritaire.

Laura intervint rapidement :

— Allons un peu plus loin, je ne suis encore jamais passée sur cette route. Est-ce que nous avons le temps d'aller un peu plus loin, Almanzo?

— La route est bonne, droit au nord, insista M. Boast.

Il regarda Laura avec des yeux rieurs. Elle était certaine qu'il devinait ce qu'elle avait en tête et lui jeta à son tour un regard plein d'une malicieuse gaîté, tandis qu'Almanzo faisait repartir les poulains et qu'ils continuaient vers le nord. Au-delà de la concession de M. Boast, ils traversèrent la pointe du Marais qui s'étendait au nord-est depuis le lac d'Argent. Une route s'embranchait là, en direction de la ville, mais ainsi que l'avait prévu Laura, elle était partout détrempée et marécageuse, si bien qu'ils poursuivirent leur route vers le nord.

— C'est ridicule, cela n'a rien d'amusant; vous appelez ça une bonne route? lança Nellie avec irritation.

— Elle n'est pas mauvaise jusqu'ici, rétorqua calmement Laura.

— Enfin! Nous ne reviendrons jamais par ici! jeta Nellie d'un ton cassant.

Mais elle retrouva bientôt sa verve pour dire à Almanzo combien elle prenait plaisir à se promener avec un aussi bon conducteur et un aussi bel attelage.

Almanzo dirigea l'attelage sur une route qui, à cet endroit, bifurquait vers l'ouest. La maison de Nellie n'était plus qu'à quelque distance de là. Comme Almanzo l'aidait à descendre du boghei, devant sa porte, elle retint un moment sa main dans la sienne, pour lui redire combien elle avait aimé cette promenade et ajouta :

— Nous prendrons un autre chemin, dimanche prochain, n'est-ce pas, Mannie?

— Oh, Nellie, c'est trop bête de ma part

d'avoir suggéré de prendre ce chemin, si cela t'ennuyait tant! dit Laura d'un air désolé.

Almanzo dit simplement au revoir et s'assit à sa place à côté de Laura.

Ils gardèrent tous deux le silence pendant un petit moment, tandis qu'ils roulaient en direction de la ville, puis Laura déclara :

— J'ai bien peur de vous avoir mis en retard pour vos bêtes en voulant prendre cette route.

— Ça n'a pas d'importance, dit-il pour la tranquilliser, les jours et les nuits sont toujours aussi longs, et je n'ai pas de vache à traire.

Ils se turent de nouveau. Laura avait l'impression d'être pour lui une bien piètre compagne après le bavardage enjoué dont l'avait gratifié Nellie, mais elle était résolue à ce qu'Almanzo en décidât. Jamais elle n'essayerait de le retenir, mais aucune autre jeune fille n'allait l'évincer, elle, petit à petit, sans qu'il s'en rendît compte.

Une fois arrivés, alors qu'ils se tenaient près du boghei, Almanzo demanda :

— Je suppose que nous irons encore nous promener dimanche prochain?

— Nous n'irons pas tous, répondit Laura. Si vous voulez emmener Nellie en promenade, faites-le, mais ne venez pas me chercher. Bonsoir.

Elle rentra rapidement dans la maison et referma la porte.

Parfois, tandis qu'elle se rendait à.pied à son école, en passant devant le petit vallon où apparaissait chaque jour davantage le vert des feuilles de violettes, surmontées de leurs fleurs, Laura se demandait si Almanzo viendrait le dimanche suivant. Parfois, alors que ses trois petits élèves étudiaient avec application, elle levait les yeux de son propre travail; par-delà la fenêtre, elle voyait l'ombre des nuages passer sur l'herbe baignée de soleil, et elle s'interrogeait : et s'il ne venait pas, s'il ne venait pas — c'était là tout. Que faire, sinon attendre le prochain dimanche...

Le samedi, elle partit à la ville et cousit tout le jour pour Mlle Bell. Papa était resté à la maison pour retourner les mottes de la prairie, afin d'élargir son champ de blé; Laura passa donc à la poste pour voir s'il y avait du courrier, il y avait une lettre de Marie! Elle avait hâte d'arriver à la maison pour que Maman la leur lise, car Marie devait y annoncer la date de son retour.

Aucun d'eux n'avait écrit à Marie au sujet du nouveau petit salon et de l'orgue qui l'y attendait. Jamais aucun membre de la famille n'avait eu de surprise semblable à celle que serait cet orgue pour Marie.

Elle entra en coup de vent en s'écriant :

— Maman! une lettre de Marie!

— Je vais achever de préparer le dîner, Maman, pendant que tu la lis, proposa Carrie.

Maman retira donc une épingle de ses cheveux et, tout en ouvrant l'enveloppe avec soin, s'assit pour prendre connaissance de la lettre. Elle déplia le feuillet puis commença à lire

en silence, et ce fut comme si toute la lumière disparaissait de la maison.

Carrie lança un regard effrayé à Laura, qui au bout d'un moment demanda calmement :

— Que se passe-t-il, Maman?

— Marie ne veut pas venir à la maison, dit-elle, puis elle ajouta aussitôt; ce n'est pas ce que je veux dire. Elle demande la permission de passer ses vacances chez Blanche, avec elle.

Remue les pommes de terre, Carrie, elles vont être trop grillées.

Ils en parlèrent tout au long du repas. Maman lut la lettre à haute voix. Marie expliquait que Blanche habitait non loin de Vinton et que celle-ci avait très envie que Marie vînt faire un séjour chez elle. Sa mère allait écrire à Maman pour inviter Marie, laquelle aimerait y aller si Papa et Maman l'y autorisaient.

— Je crois qu'il faut qu'elle y aille, dit Maman, ce sera un changement pour elle et ça lui fera du bien.

— Bien, dit Papa.

Ainsi, c'était chose décidée; Marie ne viendrait pas cette année-là.

Plus tard, Maman expliqua à Laura que Marie reviendrait définitivement à la maison, une fois ses études terminées, et que c'était peut-être là la seule occasion qu'elle eût jamais de voyager. C'était une bonne chose qu'elle pût s'amuser un peu et se faire autant de nouvelles amies pendant qu'elle était jeune.

— Ce seront pour elle des souvenirs, conclut Maman.

Mais ce soir-là, Laura eut le sentiment que rien ne serait jamais plus normal. Le lendemain matin, le soleil avait beau briller et les alouettes des prés chanter, cela ne signifiait rien pour elle, et, tandis qu'assise dans le chariot elle se rendait à l'église, elle se dit qu'elle ne se promènerait plus qu'en chariot, jusqu'à la fin de ses jours. Elle était tout à fait certaine, à présent, qu'Almanzo emmènerait Nellie Oleson en promenade, ce même après-midi.

Toutefois, elle n'ôta pas sa robe de popeline une fois rentrée à la maison, mais se protégea de son grand tablier, comme elle l'avait fait auparavant. Le temps s'écoulait très lentement; deux heures sonnèrent enfin, et comme elle regardait par la fenêtre, Laura aperçut les poulains, arrivant à grand train sur la route en provenance de la ville. Ils montèrent au trot et s'immobilisèrent devant la porte.

— Vous plairait-il d'aller faire une promenade en boghei? demanda Almanzo à Laura qui se tenait dans l'encadrement de la porte.

— Oh, oui! j'arrive dans une minute.

Le miroir lui renvoya l'image d'un visage tout rose et radieux, tandis qu'elle nouait de côté le ruban bleu.

Une fois installée dans le boghei, elle demanda :

— Nellie n'a-t-elle pas voulu venir?

— Je ne sais pas, répondit Almanzo.

Il marqua une pause et ajouta, avec dédain :

— Elle a peur des chevaux!

Laura ne dit mot, et il reprit peu après :

— Je ne l'aurais pas amenée la première fois

si je ne l'avais rencontrée sur la route ; elle faisait à pied tout le chemin pour aller voir quelqu'un en ville, mais elle m'a dit qu'elle aimerait autant venir avec nous. Les dimanches, chez elle, sont si tristes et passent si lentement que j'ai eu pitié d'elle, et puis elle avait l'air de prendre énormément de plaisir à la promenade. Je ne savais pas que vous vous aimiez si peu toutes les deux.

Laura était stupéfaite de voir qu'un homme d'une telle compétence en matière d'agriculture et de chevaux pût connaître aussi mal une fille telle que Nellie, mais elle dit simplement :

— Non, vous ne pouviez pas savoir, car vous n'êtes pas allé en classe avec nous. Je vais vous dire ce que j'aimerais faire, j'aimerais emmener Ida se promener avec nous.

— Oui, un de ces jours, accepta Almanzo, mais, aujourd'hui, c'est joliment bien de n'être rien que nous deux.

C'était un bel après-midi. Le soleil était presque trop chaud, si bien qu'Almanzo suggéra de relever la capote du boghei ; les poulains, dit-il, étaient si bien rompus, à présent, qu'ils ne risquaient pas d'être effrayés. Ils la soulevèrent donc, ensemble, chacun d'une main, et appuyèrent sur les charnières des montants, afin de la maintenir relevée. Puis ils continuèrent leur promenade à l'ombre de la capote, tandis que le doux vent soufflait par les ouvertures de côté.

A partir de ce jour, sans qu'il fût besoin d'en parler, tous les dimanches, à deux heures sonnantes, Almanzo tournait à l'angle de l'écurie de louage des Pearson et quand il s'arrêtait à la porte, Laura l'y attendait. Papa levait alors les yeux de son journal, lui faisait au revoir d'un signe de tête avant de reprendre sa lecture, et Maman disait invariablement :

— Ne rentre pas trop tard, Laura.

Vint le mois de juin et les roses sauvages de la prairie refleurirent. Laura et Almanzo les cueillaient en bordure du chemin et remplissaient le boghei de bouquets parfumés.

Un dimanche, à deux heures, le tournant resta désert ; Laura était perplexe, quand, soudain, elle vit les chevaux devant la porte et Ida, assise dans le boghei, qui riait joyeusement.

Almanzo était passé chez le révérend Brown pour voir Ida et l'avait décidée à venir ; puis, pour surprendre Laura, il avait traversé le Grand Marais à l'ouest de la route qui débouchait de la ville, ce qui les avait conduits sur les terres de Papa, quelque peu au sud de la maison, et, tandis que Laura regardait vers le nord, ils étaient arrivés de la direction opposée.

Ils allèrent, ce jour-là, jusqu'au lac Henry, et ce fut la plus joyeuse des promenades. Les poulains se comportèrent à merveille ; ils attendaient patiemment tandis qu'Ida et Laura emplissaient leurs bras de roses sauvages et grimpaient à nouveau dans le boghei; ils mordillaient tranquillement l'herbe des buissons, en bordure du chemin, pendant qu'Almanzo et ses compagnes observaient les petites vagues clapotantes le long des rives des deux lacs qui s'étendaient de part et d'autre.

Le passage était si étroit, si peu élevé, que Laura remarqua :

— J'imagine que l'eau doit inonder le chemin quelquefois.

— Pas depuis que je connais cet endroit, répondit Almanzo, mais peut-être qu'il y a bien des années ou des siècles les deux lacs ne faisaient qu'un.

Ils restèrent un moment assis en silence; Laura songeait combien ce lieu devait être beau et sauvage à l'époque où les lacs jumeaux ne formaient qu'un, quand les bisons et les antilopes hantaient la prairie autour du grand lac et venaient y boire, quand les loups, les coyotes et les renards vivaient sur les berges, et quand les oies sauvages, les cygnes, les hérons, les grues, les canards et les mouettes y nichaient, y pêchaient, y volaient par milliers.

— Pourquoi ce soupir? demanda Almanzo.

— J'ai soupiré? s'étonna Laura. J'étais en train de penser que les animaux sauvages désertent quand les hommes viennent s'installer quelque part. Je voudrais qu'ils ne s'en aillent pas.

— La plupart des gens les tuent, observa Almanzo.

— Je sais, dit Laura, et je n'arrive pas à comprendre pourquoi.

— C'est joli ici, dit Ida, mais nous sommes loin de la maison, et j'ai promis à Elmer que j'irais ce soir à l'église avec lui.

Almanzo tendit les guides et s'adressa aux poulains, cependant que Laura demandait :

— Qui est Elmer?

— C'est un jeune homme qui a une concession proche de celle de mon père et qui prend pension chez nous, expliqua-t-elle. Il voulait que j'aille me promener à pied avec lui, cet après-midi, mais j'ai pensé que j'irais plutôt avec vous, pour cette fois. Tu n'as jamais vu Elmer... McConnell, ajouta-t-elle après réflexion.

— Il y a tant de nouveaux habitants! déclara Laura, je n'arrive même pas à ne pas perdre de vue ceux que je connais.

— Mary Power sort avec le nouvel employé de la banque Ruth, lui apprit Ida.

— Mais Cap, alors! s'écria Laura, qu'est devenu Cap Garland?

— Cap s'est épris d'une fille qui vient d'arriver et qui habite à l'ouest de la ville, leur dit Almanzo.

— Oh, c'est dommage que nous ne sortirons

plus tous en groupe, dit Laura avec regret. C'était si amusant d'aller tous ensemble se promener en traîneau! Maintenant tout le monde sort en couples.

— Eh, oui, dit Ida, au printemps, un jeune homme a tendance à penser à l'amour!

— Oui, ou alors, c'est ceci, et Laura se mit à chanter :

« *O siffle et je viendrai à toi, mon bien aimé*
O siffle et je viendrai à toi, mon bien aimé
Même si P'pa et M'man et moi nous d'vons nous
[*fâcher*
O siffle et je viendrai à toi, mon bien aimé. »

— Vraiment? demanda Almanzo.

— Bien sûr que non, rétorqua Laura, ce n'est qu'une chanson.

— Il vaudrait mieux siffler pour Nellie, elle viendrait, elle, dit Ida d'un ton taquin.

Puis elle ajouta avec sérieux :

— Mais elle a peur de ces chevaux, elle prétend qu'ils sont dangereux.

Laura partit d'un rire joyeux :

— Ils se sont montrés un peu fougueux, le jour où elle était avec nous.

— Mais, ça m'étonne, insista Ida, ils sont parfaitement dociles!

Laura se contenta de sourire et ramena davan-

254

tage la couverture sous elle. Elle s'aperçut alors qu'Almanzo la regardait à la dérobée et se laissa aller à le regarder avec des yeux pétillants de malice. Il lui importait peu qu'il sût qu'elle avait, exprès, effrayé les poulains pour affoler Nellie.

Ils ne cessèrent de parler et chanter tout au long du retour. Arrivés devant chez Laura, comme celle-ci les quittait, elle demanda :

— Tu viendras avec nous, dimanche prochain, Ida ?

Toute confuse, Ida répondit :

— J'aimerais bien, mais je... je crois que j'irai me promener avec Elmer.

CHAPITRE 21

SKIP ET BARNUM

Le mois de juin était écoulé, l'école de Laura terminée, l'orgue payé. Laura apprenait à jouer quelques accords avec l'accompagnement du violon, mais elle préférait écouter le violon seul; après tout, l'orgue avait été acheté pour le plaisir de Marie quand elle viendrait à la maison.

Papa annonça un soir :

— C'est demain le quatre juillet. Vous, les filles, est-ce que vous avez envie d'aller en ville à la fête de l'indépendance?

— Oh, non, fêtons-la comme l'année der-

256

nière, s'écria Carrie. Je n'ai pas envie d'être au milieu de cette foule de gens qui vont lancer des pétards. J'aimerais mieux qu'on fasse un feu d'artifice ici, à la maison.

— Moi, je veux plein de bonbons, à la maison, mentionna Grace dans son vote.

— Je suppose que Wilder y sera avec son fameux attelage et le boghei, Laura, non? demanda Papa.

— Il n'en a pas parlé, mais de toute façon, je n'ai pas envie d'aller à la fête.

— Est-ce unanime, Caroline? voulut savoir Papa.

— Ma foi oui, si toi tu es d'accord avec les petites, dit Maman en leur souriant à tous. Je vais prévoir un repas de fête, et mes filles m'aideront à le préparer.

Le lendemain, elles furent fort occupées toute la matinée. Elles firent cuire du pain frais, une tourte aux herbes et un gâteau quatre-quarts. Laura s'en fut au jardin où, du bout des doigts, elle creusa délicatement les petites buttes pour trouver des pommes de terre nouvelles; elle en prit assez pour le déjeuner, sans avoir abîmé un seul plant en dérangeant les racines. Puis elle cueillit les tout premiers petits pois, en prenant soin de ne choisir que les cosses renflées.

Maman acheva de faire frire un jeune poulet pendant que les filles faisaient cuire la jardinière de légumes et l'accommodaient d'une sauce à la crème. Le déjeuner de quatre juillet était tout juste prêt quand Papa rentra de la ville; il ne restait plus qu'à mettre le thé à infuser. Papa avait rapporté des citrons pour la limonade de l'après-midi, des feux de bengale pour le soir, et des bonbons à manger, à toute heure, dès après le repas.

Tout en remettant les paquets à Maman, il dit à Laura :

— J'ai vu Almanzo Wilder en ville. Cap Garland et lui étaient en train d'atteler au boghei des chevaux qu'il vient tout juste d'avoir. Ce garçon a manqué sa vocation, il aurait dû se faire dompteur de lions. Ces chevaux en question sont plus sauvages que des faucons. Ils avaient un mal de chien à les tenir. Il m'a chargé de te dire que si tu voulais aller faire une promenade en boghei, cet après-midi, il faudrait que tu sois prête à grimper dès qu'il arriverait, car il ne pourra pas descendre pour t'aider. Il m'a dit aussi de te dire qu'il y avait un nouvel attelage à dresser.

— Je finis par croire qu'il cherche à ce que tu te casses le cou! s'indigna Maman, mais j'espère qu'il se le cassera le premier.

Cela ressemblait si peu à la douce nature de Maman que tous la regardèrent, ébahis.

— Wilder saura en faire façon, Caroline, ne

t'inquiète pas, assura Papa. Si jamais j'ai vu un homme de cheval, c'est bien lui.

— Tu ne veux vraiment pas que j'y aille, Maman? demanda Laura.

— A toi de voir, Laura. Ton père dit qu'il n'y a pas de risque, alors ce doit être vrai.

Après qu'ils eurent lentement savouré le délicieux repas, Maman dit à Laura que, si elle avait l'intention de partir en promenade, elle laisse la vaisselle et aille revêtir sa robe de popeline de soie.

— Je ferai le travail qu'il y a à faire, dit-elle.

— Mais tu as déjà travaillé toute la matinée, objecta Laura. J'ai le temps de le faire avant de m'habiller.

— Vous n'avez pas besoin de vous soucier de la vaisselle, ni l'une ni l'autre, intervint Carrie. Je la laverai, et Grace l'essuiera. Allez viens, Grace, Marie et Laura étaient plus jeunes que nous qu'elles la faisaient déjà.

Si bien que Laura, tout à fait prête, attendait à la porte quand Almanzo arriva. Elle n'avait encore jamais vu ces chevaux-là auparavant. L'un était un grand cheval bai, l'autre, un cheval massif à robe brune tachetée de blanc, avec, d'un côté de l'encolure, une tache blanche qui ressemblait à un coq et, au milieu de la crinière brune, une touffe de crins blancs qui faisait penser à la queue du coq. Quand Almanzo eut arrêté son étrange attelage devant la maison, Laura s'avança vers le boghei. Au même instant, le cheval brun se cabra, battant l'air de ses pieds antérieurs, tandis que le cheval bai sautait en avant. Almanzo relâcha les rênes et, alors que les chevaux s'éloignaient d'un bond, cria à Laura.

— Je reviens !

Elle attendit qu'il eût contourné la maison et, dès qu'il eut à nouveau arrêté les chevaux, se dirigea rapidement vers le boghei, mais dut reculer comme, une fois encore, le cheval tacheté se cabrait et son compagnon bondissait en avant.

Papa et Maman s'étaient approchés de Laura, Carrie se tenait sur le seuil de la porte, un torchon à la main, et Grace surveillait la scène, debout à côté d'elle. Tous attendaient qu'Almanzo eût de nouveau fait le tour de la maison.

— Tu ferais mieux de ne pas essayer d'y aller, Laura, conseilla Maman.

Mais Papa la rassura :

— Caroline, il ne lui arrivera rien, Wilder va les maîtriser.

Cette fois, il arrêta les chevaux légèrement de côté et retint le boghei de toutes ses forces, afin de permettre à Laura d'accéder plus aisément entre les roues.

— Vite, s'écria-t-il.

Dans une envolée de jupons, Laura s'élança vers le boghei, s'agrippa de la main droite à l'armature repliée de la capote, posa son pied droit sur le marchepied et, à l'instant précis où le cheval tacheté se cabrait et où l'autre bondissait en avant, elle se hissa du pied gauche dans le boghei et se laissa tomber sur le siège.

— Au diable ces crinolines, marmonna-t-elle tout en les rentrant dans le boghei qui les emportait à vive allure et protégeait sa robe avec la couverture.

— Ne touchez surtout pas la capote, recommanda Almanzo.

Puis ils se turent. Laura se fit toute petite sur son coin de banquette afin de ne point gêner Almanzo qui, tout absorbé à tenir les chevaux en main et les bras tendus dans un immense effort, tentait de réfréner leur galop endiablé.

Ils filaient droit vers le nord car ils étaient tournés dans cette direction. Comme ils traversaient la ville en trombe, Laura entrevit une foule dense et désordonnée qui s'écartait sur leur passage et le large sourire de Cap Garland qui la saluait de la main.

Elle se félicita, plus tard, d'avoir elle-même cousu les rubans de sa capote; elle était ainsi certaine que les points ne lâcheraient pas.

Les chevaux adoptèrent un trot allègre; Almanzo dit alors :

— Ils prétendaient tous que vous ne viendriez pas; Cap, lui, disait que vous viendriez.

— A-t-il parié? demanda Laura.

— Je n'ai pas parié, si c'est cela que vous voulez savoir, répondit Almanzo. Je ne me permettrais pas de parier sur une femme. De toute façon, je n'étais pas sûr que vous apprécieriez ces bêtes de cirque que j'ai là.

— Qu'est-il advenu des poulains? s'enquit Laura.

— Je les ai vendus.

— Mais Prince et Lady... Ce n'est pas que je critique ceux que vous avez là, mais je me demandais simplement s'il était arrivé quelque chose à Prince et Lady.

— Non, non, tout va bien, mais Lady a eu un poulain, et Prince ne conduit pas aussi bien sans elle. Pour les poulains, on m'a offert trois cents dollars; ils étaient bien assortis, bien dressés et ils les valaient, mais on n'est jamais sûr qu'on vous en donne un prix correct tous les jours. Cette paire-là ne m'a coûté que cent dollars et, si je veux, je pense que je pourrai les vendre plus cher qu'ils ne m'ont coûté, une fois qu'ils seront dressés. Ce sera amusant de les dresser, vous ne croyez pas?

— Oh, si! répondit Laura avec enthousiasme.

— C'est ce que je pensais. A propos, le tacheté s'appelle Barnum et le bai, Skip. Nous éviterons le terrain de pique-nique, les pétards les rendraient complètement fous de nouveau, expliqua Almanzo.

Toujours au même trot rapide, kilomètre après kilomètre, les chevaux filaient sur la route qui coupait à travers la vaste prairie. La pluie tombée la veille inondait le terrain, là où il était affaissé, mais Skip et Barnum refusaient de se mouiller les pieds. Entraînant le boghei dans leur élan, d'un bond ils franchissaient chacune des flaques, si bien que pas une éclaboussure ne venait souiller la capote de Laura.

Le soleil était ardent en ce jour de quatre juillet, et Laura se demandait pour quelle raison Almanzo ne suggérait pas de relever la capote du boghei, mais il dit bientôt :

— Je suis désolé, mais les chevaux deviendraient fous si on relevait la capote, je ne sais pas si je serais capable de les tenir. A deux, Cap et moi, nous ne sommes pas arrivés à les atteler au boghei tant qu'elle n'a pas été baissée.

Ils roulèrent donc sous le soleil, tandis que soufflait le vent de la prairie et que des nuages blancs naviguaient dans le ciel bleu au-dessus d'eux. Ils allèrent jusqu'au lac Spirit, en contournèrent la pointe et poursuivirent plus loin encore, puis regagnèrent la maison en empruntant un chemin différent.

— Nous avons fait près de cent kilomètres,

observa Almanzo, comme ils approchaient de la maison. Je pense qu'ils se tiendront tranquilles, le temps que vous descendiez du boghei ; je n'ose pas en sortir pour vous aider, de peur qu'ils ne m'abandonnent.

— Je peux descendre seule, l'essentiel est de ne pas laisser les chevaux s'échapper, mais, vous ne voulez pas rester à dîner ?

— J'aimerais bien, mais je ne peux pas les arrêter avant de les avoir ramenés en ville pour que Cap puisse m'aider à dételer. Voilà, nous sommes arrivés. Ne faites pas cliqueter la capote au moment de descendre entre les roues.

Elle essaya de ne pas le faire, mais l'ébranla malgré tout un tantinet, si bien que Barnum se cabra, Skip fit un soubresaut et ils partirent en coup de vent.

Quand Almanzo arriva, le dimanche suivant, Laura savait à quoi s'attendre, aussi fut-elle prompte à sauter dans le boghei, dès le premier arrêt.

Comme ils avaient le nez pointé à l'est, ils piquèrent droit dans cette direction, puis, au bout d'un moment, ralentirent leur allure. Almanzo les conduisit jusqu'aux lacs jumeaux par un chemin détourné. Rapidement, mais sans se cabrer ni ruer, ils franchirent l'étroit sentier entre les deux lacs et, sur le trajet du retour, prirent le trot.

— Je les ai pas mal sortis cette semaine, remarqua Almanzo, je suppose qu'ils commencent à comprendre qu'ils feraient tout aussi bien de se tenir.

— Mais ils sont beaucoup moins drôles quand ils se tiennent bien, dit Laura avec regret.

— Ah, vous trouvez? Eh bien, nous allons leur apprendre à quoi sert une capote. Empoignez-la!

En un rien de temps, Laura saisit, de son côté, le compas placé à l'avant de la capote et le leva en même temps qu'Almanzo; elle pressa rapidement sur la charnière qui se trouvait au centre, le redressant et le bloquant, comme le faisait Almanzo. La capote fut relevée et fixée juste à temps.

Skip fit un bond, et Laura, le souffle coupé, vit Barnum se dresser sur ses pieds de derrière; il se dressait, de plus en plus haut, ses pattes antérieures battant l'air plus haut encore, son énorme croupe s'élevant devant le garde-boue; elle se rapprochait de plus en plus, une minute encore et elle basculerait sur le boghei, mais il redescendit en faisant un saut gigantesque et se mit à galoper avec Skip. La capote oscillait de droite et de gauche alors que les chevaux effrayés redoublaient de vitesse.

Almanzo, les bras raidis, tenait les guides, tendues et bandées comme des câbles. Laura, recroquevillée dans le coin de la banquette, retenait son souffle, souhaitant de tout cœur qu'elles ne vinssent pas à lâcher.

Les chevaux, enfin fatigués, ralentirent et se mirent à trotter. Almanzo respira profondément et se détentit un peu :

— C'était mieux comme ça? lui demanda-t-il en lui souriant.

Laura eut un petit rire tremblant :

— Beaucoup mieux, dit-elle dans la mesure où le harnais tient bon.

— Il tiendra. Je l'ai fait faire chez Schaub, le bourrelier. Toutes les courroies sont en cuir résistant avec des doubles rivets et cousues avec du fil poissé. Avec le temps, ces chevaux apprendront à faire la différence entre galoper et s'échapper, dit-il d'un ton assuré. C'étaient des chevaux emballés, vous savez.

— Vraiment? dit-elle, avec un rire encore ému.

— Oui, c'est pourquoi je les ai eus à si bon prix. Ils peuvent galoper mais pas s'échapper. D'ici quelque temps, ils sauront qu'ils ne peuvent pas y arriver, et ils renonceront à essayer; ça fera alors un bon attelage.

— La capote leur fait encore peur, comment est-ce que nous allons bien faire pour la baisser, s'inquiéta Laura?

— Nous n'avons pas besoin de la rabaisser.

Faites simplement attention de ne pas la bouger en descendant, et je la laisserai relevée.

L'instant dangereux, à la montée et à la descente du boghei, était celui où elle se trouvait entre les roues. Il lui fallait être plus rapide que les chevaux et passer entre les roues sans être happée.

Quand Almanzo arrêta les chevaux à la porte, Laura se baissa avec prudence sous l'armature de la capote, sans la toucher, posa vivement pied à terre et se sauva, toutes jupes froufroutantes, tandis que les chevaux s'éloignaient d'un bond.

Elle fut surprise de sentir ses genoux se dérober sous elle en entrant dans la maison. Papa se retourna pour la regarder.

— Te voilà arrivée, saine et sauve.

— Il n'y a pas le moindre danger, lui dit-elle.

— Non, bien sûr que non, mais malgré tout, je me sentirai plus tranquille quand ces chevaux seront plus calmes. Je suppose que tu y retournes dimanche prochain?

— Oui, je pense, répondit Laura.

Le dimanche suivant, les chevaux furent beaucoup plus sages. Ils laissèrent à Laura le temps de monter dans le boghei, puis partirent rapidement au trot. Almanzo leur fit traverser la ville et prendre la direction du nord. A mesure que les kilomètres filaient derrière eux, la sueur assombrissait leur robe luisante.

Almanzo essaya avec douceur de les amener à marcher au pas :

— Vous feriez mieux de ralentir, mes braves, vous auriez moins chaud, leur dit-il.

Mais ils refusèrent de diminuer leur allure.

— Bon, bon, allez-y après tout, vous n'en mourrez pas, ajouta-t-il.

— Il fait terriblement chaud, remarqua Laura.

Et elle souleva sa frange pour sentir la fraîcheur du vent sur son front.

La chaleur du soleil était intense, étrangement étouffante.

— Nous pouvons relever la capote, proposa Almanzo sans trop de conviction.

— Oh, non, surtout pas! objecta Laura; les pauvres bêtes ont assez chaud sans avoir besoin de s'emballer... de galoper, se reprit-elle.

— Il fait bien chaud, en effet, pour les exciter autant, admit Almanzo, ça ne leur ferait peut-être pas de mal, mais j'aime mieux ne pas risquer le coup, si le soleil ne vous gêne pas.

Au fur et à mesure que le temps passait, les chevaux trottaient plus lentement; pourtant, ils se refusaient à marcher et poursuivaient de l'avant, trottant uniment, quand Laura suggéra de rebrousser chemin plus tôt qu'à l'accoutumée en raison des signes de mauvais temps.

Le vent leur parvenait de toutes les directions

à la fois par chaudes bouffées, et des nuages orageux apparaissaient à l'ouest.

— On dirait qu'il va pleuvoir, reconnut Almanzo.

A présent qu'ils se sentaient sur le chemin du retour, les chevaux trottaient plus rapidement, mais le trajet était long jusqu'à la maison. Des tourbillons de vent fantomatiques filaient, invisibles, sur la prairie, entraînant l'herbe en de brefs tournoiements sur leur passage.

— Des tourbillons de poussière, remarqua Almanzo, seulement, il n'y a pas de poussière, mais rien que de l'herbe. On dit que c'est un signe annonciateur de cyclone.

Les dômes des cumulus s'amoncelaient à l'ouest ; le ciel entier paraissait orageux. Quand Laura arriva à la maison, le soleil transperçait les sombres nuées de furieux rayons de lumière pourpre. Almanzo partit précipitamment, afin de regagner sa concession et de tout mettre en ordre avant que ne tombât la pluie.

Mais l'orage n'éclatait toujours pas. La nuit vint, noire, accablante, sans que la pluie se décidât à tomber. Laura dormait d'un sommeil agité quand, soudain, elle s'éveilla dans un éblouissement de lumière ; Maman se tenait auprès de son lit, tenant une lampe à la main. Elle secoua Laura par l'épaule :

— Vite, Laura ! Lève-toi, aide Carrie à

prendre ses vêtements et viens! Papa dit qu'un mauvais orage est en train d'arriver.

Laura et Carrie ramassèrent vivement leurs habits et suivirent Maman qui avait rapidement pris Grace dans ses bras, avec ses habits et une couverture, et se dirigeait en toute hâte vers la trappe ouverte de la cave.

— Descendez, les filles, vite, dépêchez-vous.

Elles dégringolèrent dans la petite cave sous la cuisine.

— Où est Papa? s'inquiéta Laura.

Maman éteignit la lampe.

— Il est dehors, il surveille le nuage. Il pourra venir ici en un rien de temps, maintenant que nous ne sommes plus dans ses jambes.

— Maman, pourquoi as-tu éteint la lampe? demanda Grace, sur le point de pleurer.

— Habillez-vous comme vous pouvez, les enfants, dit Maman. Nous n'avons pas besoin de la lampe, Grace, nous ne voulons pas risquer un incendie.

Elles entendaient le vent hurler avec une étrange fureur. Des éclairs transperçaient l'obscurité d'une lumière éblouissante. L'espace d'un instant, la cuisine, au-dessus d'elles, brillait d'un éclat plus vif que le feu, puis l'obscurité revenait, plus noire, qui semblait presser sur les yeux.

Maman habilla Grace, pendant que Laura et Carrie, tant bien que mal, enfilaient leurs

270

vêtements. Puis elles s'assirent toutes les quatre sur le sol de terre battue, le dos contre le mur de terre, et attendirent.

Laura savait qu'elles étaient plus en sécurité dans la cave, mais elle pouvait à peine supporter cette sensation de claustration, d'emprisonnement sous terre qu'elle éprouvait en étant là. Elle aurait voulu être au-dehors, dans le vent, auprès de Papa, à observer l'orage. Le vent mugissait, les éclairs frappaient ses yeux grands ouverts de leur lumière aveuglante, aussitôt suivie de l'obscurité. En haut dans la cuisine, pathétiquement ignorante de la tempête qui faisait rage au-dehors, l'horloge sonna un coup.

Il leur sembla qu'un long moment s'était écoulé avant que ne leur parvînt la voix de Papa en bas dans le noir :

— Vous pouvez remonter, maintenant, Caroline. La tornade est passée à l'ouest, entre ici et les collines de Wessington.

— Oh, Papa, elle n'est pas passée assez près, n'est-ce pas, pour toucher la maison du révérend Brown ? demanda Laura avec angoisse.

— Non, et je doute fort que cette maison eût résisté si la tempête était venue aussi près.

Tout engourdies et transies d'être restées aussi longtemps inconfortablement assises au froid, dans la cave, elles se traînèrent avec lassitude jusqu'à leur lit, ainsi que Papa.

Durant tout le mois d'août, il fit un temps chaud, avec de nombreux orages. Plusieurs fois, Maman réveilla Laura et Carrie, en pleine nuit, pour qu'elles descendissent avec elle et Grace dans la cave, pendant que Papa surveillait les nuages menaçants. Le vent soufflait avec une force terrible, mais il s'agissait toujours d'un vent direct, dont le plus gros passait à l'ouest.

Si effrayée qu'elle fût au cours de ces nuits terrifiantes, la violence du vent, la formidable beauté des éclairs et le fracas du tonnerre procuraient à Laura un étrange plaisir.

Mais le matin, ils étaient tous fatigués, avec les yeux battus.

— Il semble que nous soyons condamnés à subir ces phénomènes atmosphériques ; quand on ne les a pas sous forme de blizzard en hiver, on les a sous forme de tornade ou d'orage en été.

— Nous ne pouvons rien y faire, par conséquent il faut les prendre comme ils viennent, déclara Maman.

Papa se leva de table, s'étira en bâillant :

— Enfin, je rattraperai le sommeil en retard quand la saison des cyclones sera passée. Pour l'instant, il faut que je coupe l'avoine.

Et il s'en fut à son travail.

Il coupait de nouveau l'avoine et le blé à l'aide de la vieille faux à râteau. Une moissonneuse coûtait plus cher que ce dont il disposait, et il refusait de s'endetter pour en acheter une.

— Hypothéquer tout ce qu'on a pour acheter une machine de deux cents dollars, et payer en plus dix pour cent d'intérêt sur la somme prêtée, est bon pour vous ruiner, ajouta-t-il.

— Que ces jeunes tout fous s'endettent, s'ils veulent, pour s'équiper en machines et retourner toute leur terre; pour ma part, je vais laisser l'herbe pousser et élever du bétail.

Depuis qu'il avait vendu le bouvillon d'Ellen pour envoyer Marie au collège, il avait acheté une autre vache. Le petit veau d'Ellen avait grandi, d'autres veaux avaient grandi, de sorte que, maintenant, outre les veaux de l'année, il possédait six vaches en comptant les génisses; il avait besoin par conséquent de beaucoup d'herbe et de fourrage.

Le dernier dimanche du mois d'août, Almanzo vint avec Barnum attelé seul au boghei. Barnum se cabra, mais Laura fut prompte à monter et lorsqu'il toucha de nouveau le sol, elle était assise, saine et sauve, sur la banquette.

Quand Barnum fut presque arrivé en ville, trottant d'un pas égal, Almanzo expliqua :

— Je veux le dresser à conduire en simple. C'est un cheval de si belle allure, si gros et si puissant, qu'il vaudra plus en simple qu'en double. Ceci dit, il faudra qu'il se défasse de cette habitude qu'il a de se cabrer au démarrage.

— Il est beau comme tout, reconnut Laura, et je trouve qu'il est vraiment gentil. Laissez-moi le conduire, je voudrais voir si j'en suis capable.

Almanzo semblait en douter, mais il lui donna les guides.

— Tenez-le serré, recommanda Almanzo, et ne le laissez pas prendre les devants.

Laura n'avait encore jamais réalisé combien ses mains étaient toutes petites. Elles paraissaient minuscules à les voir tenir ces lanières de cuir, mais Laura était forte. Elle tourna à l'angle des écuries de louage et remonta toute la Grand-Rue avec Barnum qui trottait aussi vite qu'il le pouvait.

— Vous avez vu comme les gens se sont retournés pour vous regarder? Ils ne s'étaient jamais attendus à voir une femme conduire ce cheval-là.

Laura ne voyait rien, hormis Barnum. Elle continuait à conduire, passant la voie ferrée pour traverser Poverty Flat, le nouveau quartier de la ville. Mais elle commençait à ressentir la fatigue dans les bras et, un peu en dehors de la ville, redonna les guides à Almanzo.

— Quand j'aurai les bras reposés, j'aimerais conduire de nouveau, lui dit-elle.

— D'accord, promit Almanzo, vous pouvez

conduire autant que vous voulez, ça me permet de me reposer, en plus.

Quand elle reprit les guides, elles lui parurent être animées de vie. A travers elles, elle sentait la bouche de Barnum; une sorte de frisson remontait le long des guides jusqu'à ses mains.

— Je crois bien que Barnum se rend compte que c'est moi qui conduis, dit-elle avec surprise.

— Bien sûr qu'il s'en rend compte, d'ailleurs il ne tire pas si fort. Regardez-le!

Almanzo reprit les guides. Elles devinrent aussitôt plus tendues et semblèrent presque s'allonger.

— Il appuie sur le mors avec moi, expliqua-t-il.

Puis il changea brusquement de sujet de conversation :

— Savez-vous que votre ancien professeur, Clewett, va monter une chorale?

Laura n'en avait pas entendu parler; Almanzo poursuivit :

— J'aimerais que vous y veniez avec moi, si vous le voulez bien.

— Cela me plairait beaucoup, répondit Laura avec enthousiasme.

— Alors d'accord pour vendredi prochain. Je viendrai vous prendre à sept heures.

Puis, sans transition, il reprit :

— Il faut absolument qu'il apprenne à marcher au pas. Personne ne l'a encore jamais vu aller au pas étant attelé. On dirait qu'il s'imagine qu'en continuant à aller suffisamment vite, il pourra s'échapper du boghei.

— Laissez-moi le reprendre, dit Laura.

Elle aimait la sensation de la bouche de Barnum qui, par l'intermédiaire des guides, arrivait à ses mains. Il était vrai qu'il ne tirait pas si fort quand c'était elle qui le conduisait.

— Il est vraiment gentil, dit-elle à nouveau.

Et ceci, bien qu'elle sût que c'était un cheval emballé.

Durant tout l'après-midi, ils se relayèrent, Almanzo et elle, pour conduire. Avant de s'arrêter pour lui permettre de descendre du boghei, devant la maison, Almanzo lui rappela :

— Vendredi soir, à sept heures! Je viendrai seulement avec Barnum, et il se peut qu'il fasse des siennes, alors, tenez-vous prête.

CHAPITRE 22

LA CHORALE

La rentrée scolaire eut lieu, le lendemain, dans le nouveau bâtiment de briques qui venait d'être construit en ville, dans la Troisième Rue. Cette école se composait de deux étages, et deux maîtres y enseignaient à présent. Les jeunes élèves avaient leur classe au rez-de-chaussée, tandis que les plus grands avaient la leur à l'étage supérieur.

Laura et Carrie se trouvaient dans la salle du premier étage, laquelle paraissait étrangement grande et vide sans les petits. Et pourtant, presque tous les sièges étaient occupés par des garçons et des filles qu'elles ne connaissaient pas. Seuls quelques-uns des pupitres du fond restaient encore libres, mais qui seraient bientôt occupés par les garçons plus âgés quand le temps, devenu trop froid, ne permettrait plus les travaux des champs.

A la récréation, Ida et Laura, debout devant l'une des fenêtres du premier étage, regardèrent les enfants qui jouaient au-dehors tout en parlant avec Mary Power et Minnie Johnson. Ida et Elmer comptaient venir à la chorale le vendredi soir, ainsi que Minnie et son frère Arthur, et Mary Power avec Ed, ce jeune homme qui depuis peu lui faisait la cour.

— Je me demande pourquoi Nellie Oleson ne vient pas à la chorale, s'étonna Laura.

— Comment! tu n'es pas au courant? s'écria Ida, elle est repartie pour New York.

— Ce n'est pas possible!

— Si, si, elle est repartie là-bas habiter chez des parents. Tu sais ce que je parie, je parie qu'elle est tout le temps en train de dire combien c'est merveilleux dans l'Ouest! se moqua Ida.

Et toutes éclatèrent de rire.

Toute seule parmi les pupitres désertés, l'une des nouvelles était restée assise à l'écart. Elle était très blonde, grande et mince, et semblait triste. Laura comprit soudain ce qu'elle ressentait ; tout comme Laura autrefois, elle était assise, là, se sentant exclue, timide, abandonnée, alors que les autres s'amusaient follement.

— Cette nouvelle a l'air gentille et elle a l'air bien seule, leur dit Laura à voix basse, je vais aller lui parler.

Elle s'appelait Florence Wilkins, son père avait une concession au nord-ouest de la ville, et elle songeait à devenir institutrice. Laura ne s'était assise à ses côtés et ne parlait avec elle que depuis quelques minutes quand les autres quittèrent la fenêtre et vinrent faire cercle autour d'elle. Florence ne viendrait pas à la chorale, elle habitait trop loin.

Le vendredi soir, à sept heures précises, Laura était prête dans sa robe de popeline de soie marron et son chapeau de velours marron, et, à sept heures précises, Almanzo faisait son apparition. Barnum s'arrêta, et Laura sauta dans le boghei si vivement qu'Almanzo le fit repartir avant qu'il ait eu le temps de se dresser sur ses pieds de derrière.

— C'est la première fois, remarqua Almanzo. Il ne se cabre plus aussi vite qu'avant, peut-être qu'un jour il oubliera de le faire.

— Peut-être, reprit Laura, quelque peu incrédule.

Et elle cita le proverbe : « Abeille de mai ne vole pas en septembre. »

La chorale devait se tenir à l'église; comme ils arrivaient en ville, Almanzo déclara qu'ils feraient mieux de quitter un peu avant la sortie, car Barnum serait excité de sentir un attroupement autour de lui.

— Quand vous jugerez qu'il est temps de partir, vous n'aurez qu'à sortir, je vous rejoindrai, répondit Laura.

Almanzo mit Barnum à l'attache à l'un des poteaux, et, ensemble ils pénétrèrent dans l'église illuminée. Almanzo avait acheté un livre de chants et payé la cotisation pour eux deux. Les élèves étaient déjà là, et M. Clewett les plaçait, selon le timbre de leur voix, en différents groupes, l'un formé par les basses, un second par les ténors, et deux autres par les contraltos et les sopranos.

Il leur apprit ensuite le nom et la valeur des différentes notes de musique, les points d'orgue, les liaisons et les pauses, les clefs de fa, de sol et d'ut. M. Clewett leur accorda une courte récréation durant laquelle fusèrent les rires et les conversations des voix de basse, de ténor, de contralto et de soprano mêlées, puis il les rappela à l'ordre.

Ils s'exercèrent à chanter des gammes. M. Clewett donnait le ton à l'aide de son diapason, maintes et maintes fois, et quand tous ou presque parvenaient à reproduire la note à la quasi-perfection, ils s'élançaient, montant et descendant la gamme en chantant :

— Do, ré, mi, fa, sol, la, si, do.

Epuisées d'être montées si haut, les voix redescendaient toutes avec plaisir :

— Do, si, la, sol, fa, mi, ré, do !

De bas en haut, de haut en bas, ils chantaient, parfois faux, mais toujours pleins de bonne volonté. Laura avait pris place à l'extrémité d'un

banc et attendait qu'Almanzo lui donnât le signal du départ. Quand il se dirigea sans bruit vers la porte, elle s'éclipsa et le suivit.

Tandis qu'ils se hâtaient vers le boghei, Almanzo expliqua :

— Je vais vous aider à monter avant de le détacher. Il va sans doute se cabrer dès qu'il sera libéré, mais pas avant si vous ne tirez pas sur les guides. Tenez-les fermement, mais ne les bougez pas tant qu'il ne sera pas parti. J'essaierai de monter avant qu'il redescende, mais si je n'y arrive pas, il vous faudra le tenir. Laissez-le galoper, mais ne le laissez pas s'emballer. Faites-lui faire le tour de l'église et repassez devant moi. N'ayez pas peur, vous êtes capable de le conduire, vous savez qu'il le faut.

Bien qu'elle se tût, Laura pensait que jamais elle ne l'avait conduit dès le départ. Grimpant vivement dans le boghei, elle prit en mains les guides qui reposaient sur le garde-boue et les serra fortement sans toutefois les déplacer. Almanzo, qui attendait à hauteur du poteau, détacha Barnum; à l'instant où sa tête fut libérée, Barnum se cabra. Il se dressa de plus en plus haut jusqu'à ce qu'il tînt debout sur ses pieds arrière; il était redescendu, galopant, avant que Laura eût pu reprendre son souffle. Les roues du boghei quittèrent le sol et retouchèrent terre d'une brusque secousse.

Laura maintint fermement les guides, cependant que Barnum filait au grand galop sur la vaste prairie, au-delà de l'église. Elle exerça une traction plus forte et régulière du bras droit, et, à sa grande joie, Barnum tourna dans cette direction. Il virevolta rapidement, décrivant un cercle parfait au centre duquel l'église tournoya. A l'instant où le côté de l'église se tournait vers elle, Laura tira de toutes ses forces sur les deux guides en même temps, mais Barnum ne s'arrêta point. Ils passèrent, rapides comme l'éclair, devant Almanzo qui attendait toujours auprès du poteau d'attache.

Au premier bond de Barnum, Laura avait senti son cœur bondir lui aussi, lui serrant la gorge au point de la suffoquer. Ils étaient à nouveau dans l'espace libre de la prairie. Elle tira fermement du bras droit et Barnum vira une fois encore. L'autre côté de l'église se rapprochait d'elle à une vitesse folle; Laura tira sur les deux guides à la fois. Barnum fut sur le point de s'arrêter, puis s'élança de nouveau d'un plongeon cabré.

Cette fois, le cœur de Laura ne flancha pas. Elle tira du bras droit, et Barnum volta comme il faut. Ils contournèrent l'église, et Laura, à demi levée, agit de tout son poids sur les guides. Barnum s'arrêta, se cabra aussitôt, bondit en avant et partit au galop.

« C'est bon, vas-y, galope », pensa Laura sans relâcher son étreinte. Elle lui fit faire demi-tour sur la prairie, s'arc-bouta des pieds au garde-boue et tira de toutes ses forces. Cette fois, Almanzo sauta dans le boghei. La porte de l'église s'ouvrit, laissant échapper le flot des élèves de la chorale. Quelqu'un s'écria :

— Vous avez b'soin d'aide?

Barnum se dressa en l'air et retomba, galopant. Les mains d'Almanzo se fermèrent sur les guides, devant les mains de Laura, et comme elle lâchait prise, glissèrent plus en arrière.

— Il était temps, dit-il, nous ne serions jamais partis, si tout ce monde s'était pressé autour de nous. Etait-ce trop pour vous?

Laura tremblait, elle avait les mains engourdies et se retenait avec peine de claquer des dents, aussi dit-elle seulement :

— Oh, non.

Pendant une minute ou deux, Almanzo parla à Barnum qui, bientôt, se mit à trotter. Laura dit alors :

— Barnum n'a pas été méchant, il était tout simplement fatigué d'être resté immobile aussi longtemps.

— Ça l'a rendu tout bonnement fou, reconnut Almanzo. La prochaine fois, nous quitterons à la récréation.

Puis il ajouta :

— Rentrons par le grand tour, c'est une soirée si agréable pour se promener.

Il fit obliquer Barnum sur la route qui coupait à la pointe ouest du Grand Marais. Le vent léger faisait ondoyer l'herbe de la prairie, et des myriades de larges étoiles, palpitantes de lumière, se balançaient au-dessus de la terre envahie d'obscurité.

Barnum trottait d'un pas égal, gentiment à présent, comme s'il jouissait lui aussi de la douceur de la nuit et des étoiles brillant dans le ciel.

Almanzo dit calmement :

— Je n'ai pas le souvenir d'avoir jamais vu les étoiles aussi brillantes.

Laura commença alors à chanter d'une voix douce :

« Dans la nuit, dans la nuit étoilée, toujours
Errons libres et joyeux
Car rien durant le jour
N'est plus cher à nous deux.
Telles les fées qui l'ombre hantent
Furtivement des bois nous fuirons
Et dans la nuit née pour la romance
Nos plus doux poèmes chanteront.
Quand nul n'est là pour écouter
Pour gourmander notre félicité

Dans la nuit, dans la nuit étoilée
Errons libres et pleins de gaîté. »

Barnum s'arrêta devant la porte et se tint sagement sans bouger tandis que Laura descendait du boghei.

— Je viendrai dimanche après-midi, dit Almanzo.

— Je me tiendrai prête, répondit Laura.

Puis elle entra. Maman et Papa étaient restés levés à l'attendre. Maman poussa un petit soupir de soulagement et Papa demanda :

— Est-ce que ce démon de cheval de Wilder se tient bien, la nuit ?

— C'est vraiment un bon cheval, répondit Laura, et il a attendu très gentiment quand je suis descendue. Je l'aime vraiment bien.

Maman était satisfaite, mais Papa lui lança un regard pénétrant. Ce n'était pas un mensonge, elle avait dit la vérité, et elle ne pouvait pas leur dire comment elle avait conduit Barnum. Ceci leur donnerait du souci, et ils lui interdiraient peut-être de recommencer. Elle était bien décidée à conduire Barnum ; quand elle et lui seraient habitués l'un à l'autre, peut-être, mais ce n'était qu'une probabilité, parviendrait-elle à ce qu'il se comportât gentiment.

CHAPITRE 23

BARNUM MARCHE AU PAS

Le dimanche suivant, Barnum fut odieux comme jamais. Il refusa de se tenir immobile, si bien que Laura dut attendre le troisième arrêt avant de pouvoir sauter dans le boghei. Il se cabra alors et tenta de galoper, tirant avec une telle énergie qu'Almanzo finit par se plaindre :

— Il tire ce boghei avec le mors et mes bras.

— Laissez-moi essayer, proposa Laura. Cela vous reposera.

— D'accord pour une minute, mais il faudra le tenir ferme

Quand Laura eut les guides bien en mains, Almanzo les lui abandonna. Elle mesura aussitôt la puissance avec laquelle Barnum tirait. Sa force faisait courir, d'un bout à l'autre des guides, ce frisson qu'elle avait déjà ressenti auparavant. Oh, Barnum! supplia-t-elle en silence, je t'en prie, ne tire pas si fort, j'ai tellement envie de te conduire!

Barnum, qui avait senti le changement de main, allongea davantage l'encolure, sentant le mors plus libre dans sa bouche. Il ralentit le trot, tourna à l'angle de l'écurie de louage et se mit à marcher au pas.

Barnum allait au pas! Almanzo se taisait, Laura respirait à peine. Peu à peu, elle lui rendit légèrement la bride. Barnum continuait à avancer au pas. Ce cheval sauvage, ce fugitif, que jamais personne n'avait vu marcher au pas lorsqu'il était attelé à un boghei, parcourut ainsi toute la Grand-Rue. Il tendit le cou à deux reprises, tâtant le mors dans sa bouche et, le trouvant à son gré, arqua l'encolure et poursuivit, majestueusement, à la même allure.

Almanzo dit tout bas :

— Il vaudrait mieux resserrer un peu les guides pour que vous ne soyez pas surprise si jamais il bondit.

— Non, répondit Laura, je veux qu'il sente le mors, je crois que cela lui plaît.

Sur leur passage, les gens s'arrêtaient, ahuris. Laura n'aimait pas être ainsi le point de mire, mais elle savait que ce n'était pas le moment de se laisser intimider. Il lui fallait rester calme et maintenir Barnum au pas.

— Si seulement ils arrêtaient de nous regarder, dit-elle presque dans un murmure, les yeux fixés sur les oreilles placides de Barnum.

Almanzo répondit à voix basse :

— Ils s'attendaient à ce qu'il s'emballe avec nous. Il vaut mieux ne pas attendre qu'il se mette à trotter de lui-même ; tendez un peu les guides et dites-lui d'y aller, comme ça il comprendra que s'il trotte, c'est parce que vous le voulez.

— Prenez-le, proposa Laura.

L'émotion lui tournait un peu la tête. Almanzo reprit les guides, et à son commandement, Barnum se mit à trotter.

— Eh bien je veux bien être pendu ! Comment avez-vous fait ? Depuis que je l'ai, je n'ai pas cessé d'essayer de le faire aller au pas ; qu'avez-vous fait ?

— Je n'ai rien fait, répondit Laura, c'est vraiment un brave cheval.

Tout le reste de l'après-midi, Barnum alla tantôt au pas, tantôt au trot, selon ce qui lui était demandé. Almanzo dit alors avec orgueil :

— Il sera aussi doux qu'un agneau après ça.

Il se trompait. Le vendredi soir, Barnum refusa de nouveau de s'arrêter, et quand enfin Laura retomba sur le siège du boghei, Almanzo lui rappela qu'ils quitteraient la chorale au moment de la pause. Pourtant, bien qu'il fût resté à l'attache moins longtemps que la semaine précédente, Barnum était si furieux que Laura dut lui faire faire inlassablement le tour de l'église — à peine s'éloignaient-ils que les élèves de la chorale sortaient déjà.

Laura adorait les cours de chant. Ils avaient commencé cette fois par chanter des gammes, ayant pour but de délier les voix. Puis M. Clewett leur avait appris un exercice facile, le premier figurant dans le livre. Il leur avait donné le ton au moyen de son diapason, recommandçant maintes et maintes fois, jusqu'à ce que toutes les voix fussent à l'unisson. Ils avaient alors chanté :

« Notre bateau vogue gaîment
Sur la vague bleue étincelante. »

Quand ils l'avaient su parfaitement, ils en avaient appris un autre : le chant de l'herbe,

> « *Tout autour de la porte béante*
> *— Riant au riche comme au pauvre*
> *Je m'avance! Je m'avance!*
> *Partout bien haute.* »

Puis ils avaient chanté en canon :

> « *Trois p'tites souris, voyez comme elles courent,*
> *Courent après la femme du fermier d'ici,*
> *Leur coupa la queue avec une scie.*
> *Trois p'tites souris, voyez comme elles courent*
> *Courent après la femme...* »

Les basses chassaient les ténors qui chassaient les contraltos qui à leur tour chassaient les sopranos et ainsi de suite, si bien que tous étaient à la fin perdus et n'en pouvaient plus de rire. C'était si amusant! Laura arrivait à tenir plus longtemps que tous les autres, car il y avait bien longtemps que Papa lui avait appris, ainsi qu'à Carrie et à Grace, à chanter : « Trois p'tites souris ».

Barnum devint si doux, que Laura et Almanzo purent par la suite rester jusqu'à la fin de la soirée. Durant la pause, lui et les autres jeunes gens sortaient de leurs poches de manteau des sachets de papier rayé, garnis de bonbons qu'ils offraient à la ronde aux jeunes filles. Il y avait des berlingots à la menthe, rayés blanc et rose, des sucres d'orge parfumés à la menthe, au citron et à la marrube.

Un soir, sur le chemin du retour, Laura se mit à chanter :

> « *O joies de l'enfance sont grandes,*
> *Qui de danser sur les genoux d'une tante,*
> *Qui de sucer un bonbon fondant*
> *Qui lui colle partout aux dents,*
> *Même si je dois me plier à la règle,*
> *Les cours de chant je leur préfère!* »

— C'est pourquoi j'ai pensé que vous aimeriez y aller, enchaîna Almanzo, vous chantez tout le temps.

Chaque soir de chorale, ils avançaient un peu plus dans le recueil de chants. Le dernier jour, ils chantèrent l'hymne qui se trouvait tout à la fin, page cent quarante-quatre :

> « *Les cieux en chaque lieu* »

La chorale avait pris fin; il n'y aurait plus d'aussi joyeuses soirées.

Barnum avait perdu l'habitude de se cabrer et de plonger en avant. Il faisait un léger bond et partait d'emblée au petit trot. On sentait déjà dans l'air le souffle annonciateur de l'hiver. Les étoiles scintillaient, toutes proches, dans l'air glacé, et Laura chanta l'hymne à nouveau :

> « *Les cieux, en chaque lieu*
> *De la gloire de Dieu*
> *Instruisent les humains*
> *Et leur immensité*
> *Proclame la beauté*
> *De l'œuvre de ses mains.*
> *Un jour à l'autre jour*
> *Raconte son amour,*
> *Sa grandeur, sa puissance*
> *Et, de même, la nuit*
> *A celle qui la suit*
> *En donne connaissance.* »

On entendait aucun bruit, hormis le clip-clop de Barnum, cheminant sur la route herbeuse de la prairie.

— Chantez-moi celui des étoiles, la pria Almanzo.

Et Laura chanta à nouveau, doucement :

> « *Dans la nuit, dans la nuit étoilée,*
> *Quand le jour baigné de rosée repose,*
> *Quand le rossignol a chanté*
> *Son dernier chant d'amour à la rose ;*

Dans la calme et claire nuit d'été,
Quand les brises doucement joueront,
De notre demeure illuminée,
Sans aucun bruit nous fuirons.
Là où les eaux argentés murmurent,
Sur le rivage des mers éloignées,
Nous errerons libres et purs,
Dans la nuit, dans la nuit étoilée. »

Le silence retomba, que rien ne vint troubler, tandis que Barnum, de son propre chef, tournait au nord, en direction de la maison. Puis Laura demanda :

— Maintenant que j'ai chanté pour vous, j'aimerais savoir à quoi vous pensez.

— Je me demandais...

Mais Almanzo s'interrompit et, pour la toute première fois, il prit la main de Laura, lisse et blanche à la lumière des étoiles, et la couvrit doucement de sa main brunie par le soleil.

— Comme votre main est petite ! dit-il.

Il marqua une nouvelle pause, puis ajouta rapidement :

— Je me demandais s'il vous plairait d'avoir une bague de fiançailles.

— Cela dépendrait de la personne qui me l'offrirait.

— Si c'était moi ?

— Alors, cela dépendrait de la bague, répondit Laura en retirant sa main tant elle était émue.

Il était plus tard que de coutume lorsque Almanzo arriva, le dimanche suivant. En partant, quand Laura fut installée dans le boghei, il s'excusa :

— Je suis désolé d'être si en retard.

— Nous pouvons faire une plus courte promenade, suggéra Laura.

— Mais il faut que nous allions au lac Henry, insista Almanzo. C'est à peu près la dernière chance que nous ayons de trouver des raisins sauvages, maintenant qu'ils sont gelés.

C'était un bel après-midi ensoleillé, chaud pour la saison. De chaque côté de l'étroit chemin qui s'allongeait entre les lacs jumeaux, des raisins sauvages, bien mûrs, pendaient des vignes entrelacées dans les arbres. Almanzo ralentit, et, ensemble, du boghei, ils tendirent la main pour cueillir les grappes serrées. Ils en goûtèrent la saveur tout à la fois douce et acidulée, en contemplant l'eau qui brasillait au soleil et en écoutant le clapotis des vagues sur le rivage.

Comme ils s'en retournaient à la maison, le soleil déclina, embrasant le ciel à l'ouest. Le crépuscule s'étendit à toute la prairie, et le vent du soir se leva, soufflant doucement à travers le boghei.

Conduisant alors d'une main, Almanzo prit de l'autre la main de Laura. Elle sentit quelque chose de froid glisser le long de son doigt.

— Vous avez dit que cela dépendrait de la bague. Comment trouvez-vous celle-ci ?

Laura tendit sa main au premier rayon de la nouvelle lune. L'or de l'anneau et de la monture, plate et ovale, brillait à la faible clarté de la lune, et trois petites pierres, serties dans l'ovale d'or, chatoyaient.

— C'est un grenat au centre, et, de chaque côté, ce sont des perles, dit Almanzo.

— C'est une bague magnifique. Je crois... que j'aimerais l'avoir.

— Alors, gardez-la, elle est à vous, et l'été prochain, je construirai une petite maison au milieu des arbres, sur la concession. Ça ne pourra être qu'une petite maison, ça ne vous ennuie pas ?

— J'ai toujours vécu dans des petites maisons, et je les aime, lui assura Laura.

Ils étaient presque arrivés à la maison, où la lumière de la lampe brillait aux fenêtres. Papa jouait du violon. Laura connaissait cette mélodie, l'une de celles que Papa chantait souvent à Maman ; sa voix s'éleva au son de la musique :

> « *Un joli château pour toi j'ai bâti*
> *Au lointain pays des rêves,*
> *Viens demeurer près de moi, douce amie,*
> *Là où seul l'amour est maître.*
> *O douces seront nos joies,*
> *O sublimes seront nos joies !*
> *Le carillon des amants nous dira l'heure*
> *Lui, qui de baisers, sonne l'heure.* »

Après que Papa eut fini de chanter, Almanzo et Laura demeurèrent un instant auprès du boghei, et Barnum attendit sagement. Laura leva son visage au faible clair de lune et dit doucement :

— Vous pouvez m'embrasser pour me dire au revoir.

Après ce premier baiser, elle rentra dans la maison, cependant qu'Almanzo s'en repartait.

Quand Laura pénétra dans la pièce, Papa reposa son violon et regarda à sa main la bague que la lumière de la lampe faisait scintiller.

— Je vois que c'est décidé, observa-t-il. Almanzo m'a parlé, hier, et je pense que tout est bien ainsi.

— J'espère que tu es sûre de toi, Laura, dit doucement Maman. J'ai parfois l'impression que ce sont les chevaux que tu aimes, plus que leur maître.

— Je ne pouvais pas avoir l'un sans l'autre, répondit Laura d'une voix tremblante.

Alors Maman lui sourit, et Papa se racla la gorge d'un air bourru. Et Laura sut qu'ils comprenaient ce que par timidité elle n'osait exprimer.

LE DÉPART D'ALMANZO

Même à la maison, Laura avait l'impression que sa bague attirait les regards. Le grenat et les perles captaient sans cesse la lumière, et le contact lisse de l'anneau qui enserrait son petit doigt lui faisait un curieux effet. Sur le chemin de l'école, le lendemain matin, elle faillit, à diverses reprises, l'enlever et la garder en sûreté nouée dans son mouchoir. Mais, après tout, elle était fiancée; ce ne pourrait être toujours un secret.

Peu lui importait qu'elle fût presque en retard

ce matin-là. Elle eut tout juste le temps de se glisser sur le siège du pupitre à côté d'Ida, avant que M. Owen ne commençât la classe, et ouvrit rapidement un livre de façon à dissimuler sa main gauche. Mais à peine commençait-elle d'étudier qu'un scintillement attira son regard.

La main gauche d'Ida reposait bien en évidence sur le pupitre, et Laura ne put s'empêcher de voir le large anneau d'or qui brillait à son petit doigt. Laura leva les yeux sur Ida, qui la regardait de ses yeux timides, tout à la fois confuse et radieuse, et elle se permit d'enfreindre la discipline scolaire :

— Elmer? murmura-t-elle.

Le rose monta plus encore aux joues d'Ida, qui lui fit un signe de tête. Alors, sous le rebord du pupitre, Laura lui montra sa main gauche.

L'heure de la récréation était à peine sonnée que Mary Power, Florence et Minnie les assaillirent pour admirer leurs bagues.

— Je suis triste que vous les ayez, déclara Mary Power, car je suppose que maintenant vous allez toutes les deux quitter l'école.

— Pas moi, affirma Ida, je viendrai en tout cas à l'école cet hiver.

— Moi aussi, assura Laura, j'ai encore envie d'avoir un certificat, au printemps.

— Tu feras la classe, cet été? demanda Florence.

— Oui, si je parviens à obtenir un poste.

— Je pourrais avoir l'école de notre secteur, si j'arrive à obtenir un certificat, leur dit Florence, mais j'ai peur des examens.

— Oh, tu l'auras, l'encouragea Laura. Ce n'est pas bien terrible, il suffit que tu ne mélanges pas tout et que tu n'oublies pas ce que tu sais.

— Eh bien moi, je ne suis pas fiancée, et je n'ai pas envie d'enseigner non plus, déclara Mary Power. Et toi, Ida? Tu vas enseigner un petit peu?

Ida se mit à rire :

— Oh, non! je n'en ai jamais eu envie, je préfère tenir le ménage; pour quelle raison croyez-vous que j'ai eu cette bague?

Toutes rirent avec elle, et Minnie demanda :

— Et toi, Laura, pourquoi as-tu eu la tienne? Tu n'as pas envie de t'occuper de la maison?

— Oh, si! répondit Laura, mais il faut d'abord qu'Almanzo la construise.

Le battant de la grosse cloche toute neuve retentit, annonçant la fin de la récréation.

Comme la chorale n'avait plus lieu, Laura n'attendait pas la visite d'Almanzo avant le prochain dimanche, aussi fut-elle surprise, le mercredi soir, d'entendre Papa lui demander si elle avait vu Almanzo.

— Je l'ai vu aujourd'hui chez le maréchal-ferrant, annonça Papa. Il a dit que, s'il pouvait, il viendrait te voir à la sortie de l'école et, sinon, de te dire qu'il n'avait pas eu le temps. Apparemment, Royal et lui partent dimanche prochain pour le Minnesota. Il est arrivé quelque chose et Royal doit partir plus tôt qu'il ne pensait.

Laura était bouleversée. Elle savait qu'Almanzo et son frère avaient prévu de passer l'hiver parmi les leurs dans le Minnesota, mais il n'avait pas projeté de s'en aller si tôt. Il était révoltant de penser que les habitudes pussent être ainsi brutalement modifiées; c'en serait fini de leurs promenades du dimanche.

— Il est possible que ce soit mieux, dit-elle simplement, ils seront sûrs d'arriver là-bas avant les premières chutes de neige.

– Oui, ils auront probablement beau temps pour faire le voyage, approuva Papa. Je lui ai dit que je garderais Lady pendant leur absence. Il va laisser le boghei ici, et il a dit que tu pourrais te promener avec Lady autant qu'il te plairait, Laura.

— Oh, Laura! tu m'emmèneras? demanda Carrie.

Et Grace s'écria :

— Moi aussi, Laura! moi aussi, hein?

Laura le leur promit, mais les derniers jours de la semaine lui parurent étrangement vides.

Jamais encore elle n'avait réalisé que de fois, au cours d'une semaine, elle songeait à ces promenades dominicales, s'en réjouissant à l'avance.

Almanzo et son frère Royal vinrent de grand matin, le dimanche suivant. Royal conduisait ses propres chevaux, attelés à sa carriole de colporteur; Almanzo suivait avec Lady, attelée seule au boghei rutilant. Papa sortit de l'écurie à leur rencontre; Almanzo conduisit le boghei sous l'auvent couvert de paille, puis il détela Lady et la mena à l'écurie.

Après quoi, laissant Papa et Royal à leur conversation, il s'avança jusqu'à la porte de la cuisine. Il n'avait pas le temps de s'arrêter, dit-il à Maman, mais désirait voir Laura un instant.

Maman l'envoya dans le petit salon et comme Laura, occupée à retaper les coussins sur la banquette, se retournait, la bague glissée à son doigt étincela dans la lumière du matin.

Almanzo sourit.

— Votre nouvelle bague sied bien à votre main, dit-il.

Laura fit tournoyer sa main dans le soleil; l'or brillait doucement, le grenat rutilait, enchâssé dans son ovale plat, et les deux perles, de part et d'autre, chatoyaient, toutes nacrées.

— Que cette bague est jolie! dit-elle.

— Je dirais plutôt, la main.

Puis il ajouta :

— Je suppose que votre père vous a dit que Royal et moi partions plus tôt que nous l'avions prévu. Royal a décidé de traverser l'Iowa, c'est pourquoi nous partons dès maintenant. J'ai amené Lady et le boghei pour que vous puissiez vous en servir quand vous le voudrez.

— Où est Prince? s'enquit Laura.

— Un de mes voisins garde Prince et le poulain de Lady, et Cap prend Skip et Barnum. J'aurai besoin de les avoir tous les quatre au printemps.

Un sifflement strident leur parvint du dehors.

— Royal m'appelle, alors embrassez-moi pour me dire au revoir, et je m'en irai, conclut Almanzo.

Ils s'embrassèrent rapidement, puis Laura l'accompagna à la porte et les regarda tous deux s'éloigner. Debout, à hauteur de son coude, Carrie demanda :

— Tu vas être triste?

Et il y avait tant de gravité dans sa voix que Laura sourit.

— Non, répondit-elle d'un ton résolu, je ne serai pas triste, et après le déjeuner, nous attellerons Lady et nous partirons nous promener.

Papa rentra et s'approcha du fourneau.

— On commence à apprécier un bon feu, dit-il. Je me demandais, Caroline, ce que tu penserais de passer tout l'hiver ici, au lieu d'aller en ville. Je crois pouvoir louer la maison, en ville, cet hiver, et si j'y arrive, je pourrai poser du papier goudronné et un lattis sur tous les murs de cette maison-ci, et peut-être même la peindre.

— Ce serait un gain, reconnut aussitôt Maman.

— Et en plus, poursuivit Papa, nous avons maintenant tellement de bétail que ce serait une rude affaire que d'avoir à transporter toute la paille et le fourrage. Une fois que cette maison sera bien lambrissée au-dehors et tapissée d'un bon papier de soutien épais, à l'intérieur, nous serons confortables ici. Nous pourrons mettre un poêle à charbon dans le petit salon et nous approvisionner en combustible pour l'hiver. Il y a une pleine cave de légumes du jardin, des potirons et des courges du champ, si bien que, même si l'hiver est très rude et que je ne puisse aller souvent à la ville, nous ne risquons pas d'avoir faim ni froid, il n'y a pas de soucis à se faire.

— C'est vrai, Charles, mais les petites doivent aller à l'école, et nous sommes trop loin pour qu'elles fassent le trajet à pied en hiver; il y a toujours des risques qu'un blizzard se lève.

— J'irai les conduire et les rechercher, promit Papa. Il n'y a que deux kilomètres à peine, et avec le traîneau pas chargé, ce sera vite fait.

— Eh bien, d'accord, consentit Maman. Si tu veux louer la maison en ville et rester ici, cela me convient tout à fait, je serai contente de ne pas avoir à déménager.

Ainsi, tout fut douillettement installé sur les terres de la concession, avant les premières neiges. La petite maison, toute nouvellement lambrissée, ressemblait à une véritable maison, et non plus à une cabane de concession. Au-dedans, tous les murs faits de planches de sapin baumier étaient, à présent, recouverts d'un épais papier gris. Le bois était devenu si brun avec le temps que le papier, plus clair, égayait les pièces, et les rideaux de calicot blanc, fraîchement amidonnés, leur donnaient un aspect raffiné.

Dès les premières grosses chutes de neige, Papa installa la caisse du chariot sur les patins du traîneau et la remplit à moitié de paille. Aussi, les jours de classe, Laura et Carrie, assises sur la paille recouverte de fourrures, avec Grace blottie entre elles d'eux, bien enveloppées et bordées sous d'autres couvertures, partaient avec Papa le matin pour l'école, et rentraient le soir avec lui jusqu'à la maison accueillante et bien chauffée.

Chaque après-midi, lorsqu'il allait les rechercher, Papa s'arrêtait à la poste. Une ou deux fois par semaine, il y avait une lettre d'Almanzo, pour Laura. Il était bien arrivé chez son père, dans le Minnesota, et serait de retour au printemps.

CHAPITRE 25

LA VEILLE DE NOËL

En cette veille de Noël, tout comme l'année précédente, devait avoir lieu « l'Arbre de Noël » à l'église en ville. Le colis destiné à Marie était parti en temps voulu, et, dans la maison, ce n'étaient que petits secrets de Noël, chacune des filles se cachant pour envelopper les présents qui seraient offerts à la veillée. Mais, à dix heures, ce matin-là, la neige commença à tomber.

Pourtant, il semblait que tout espoir de pouvoir se rendre à « l'Arbre de Noël » ne fût pas perdu. Grace demeura tout l'après-midi à regarder par la fenêtre, et, une ou deux fois, le vent s'apaisa. A l'heure du dîner, cependant, il se ruait en hurlant contre les avant-toits, et une épaisse tombée de flocons pressés emplissait l'air.

— C'est trop dangereux de s'y risquer, déclara Papa.

C'était un vent direct, qui soufflait de façon continue, mais on ne savait jamais; il pouvait fort bien tourner au blizzard, pendant que les gens seraient à l'église.

Rien n'avait été prévu pour fêter la nuit de Noël à la maison, si bien que tout le monde eut fort à faire. Dans la cuisine, Laura entreprit de faire griller du maïs. Elle retira l'un des cercles de la plaque du fourneau et posa sur le trou, à même le feu, la bouilloire en fer-blanc. Elle y mit à chauffer une poignée de sel, puis y jeta une poignée de grains de maïs qu'elle remua à l'aide d'une cuillère à long manche, tout en maintenant le couvercle de la main gauche, de façon à empêcher les grains qui se fendaient avec un bruit sec de jaillir hors de la bouilloire. Quand ils cessèrent d'éclater, elle laissa tomber une nouvelle poignée de maïs et continua de remuer; mais elle n'avait plus besoin de tenir le couvercle, car les grains blancs éclatés restaient à la surface, empêchant les autres de sauter hors de la bouilloire.

Maman faisait bouillir de la mélasse dans une casserole. Quand la bouilloire de Laura fut pleine de popcorn, Maman en déversa une partie dans un poêlon et l'arrosa d'un mince filet de mélasse bouillante. Puis, après avoir beurré ses mains, elle prit à poignées le mélange et le roula vivement en boules. Laura continua à faire griller le maïs, et Maman le façonna en boules jusqu'à ce que le grand plat fût empli de ces friandises croustillantes.

Installées dans le petit salon, Carrie et Grace fabriquaient des petits sachets dans les chutes du tulle rose qui avait servi, l'été précédent, à la confection de la moustiquaire. Elles garnissaient les sachets de bonbons que Papa avait achetés en ville pendant la semaine.

— C'est une chance : j'ai pensé que nous aurions envie d'en manger plus que ce qu'on obtiendrait vraisemblablement à « l'Arbre de Noël », se félicita Papa.

— Oh! s'écria Carrie, nous avons préparé un sac de trop. Grace a mal compté.

— C'est pas vrai! cria Grace.

— Grace, la reprit Maman.

— Ce n'est pas de la contradiction!

— Grace, dit Papa à son tour.

Grace ravala un sanglot :

— Papa, dit-elle, je ne me suis pas trompée. Je sais quand même compter jusqu'à cinq! Il y avait assez de bonbons pour en faire un autre, et ça fait joli dans le sachet rose.

— C'est vrai, et c'est agréable d'en avoir un de plus, nous n'avons pas toujours eu autant de chance, lui dit gentiment Papa.

Laura se souvenait de ce Noël, du temps où ils vivaient sur les bords de la rivière Verdigris, en Territoire indien, quand M. Edwards avait parcouru cent trente kilomètres à pied pour leur rapporter, à Marie et à elle-même, un bâton de sucre d'orge chacune. Où qu'il fût ce soir, elle lui souhaitait autant de joie qu'il leur en avait procuré alors. Elle n'oubliait pas non plus cette nuit de Noël dans le Minnesota, près du ruisseau Plum, quand Papa s'était perdu dans le blizzard et qu'ils avaient craint de ne jamais le revoir; pendant trois jours, il était demeuré à l'abri sous la berge du ruisseau et n'avait eu rien d'autre à manger que les bonbons de Noël. Et maintenant, ils étaient là, dans la maison confortable et douillette, avec plein de bonbons et d'autres bonnes choses.

Pourtant, elle souhaitait maintenant la présence de Marie et s'efforçait de ne point penser à Almanzo. Dans les premiers temps qui avaient suivi son départ, il lui avait écrit souvent, puis à intervalles réguliers. Mais depuis trois semaines, elle n'avait reçu aucune lettre. Il était chez lui, pensait Laura, et retrouvait ses anciens amis et les jeunes filles qu'il avait connues autrefois. Le printemps ne serait là que dans quatre mois. Peut-être l'avait-il oubliée ou regrettait-il de lui avoir donné la bague qui brillait à son doigt.

Papa interrompit ses pensées :

— Apporte-moi le violon, Laura. Jouons un peu de musique avant de nous attaquer à ces bonnes choses.

Elle lui apporta l'étui, puis il accorda le violon et passa un peu de colophane sur l'archet.

— Qu'est-ce que je joue? demanda-t-il à la ronde.

— Joue d'abord la chanson de Marie, le pria Laura, peut-être qu'elle pense à nous en ce moment.

Papa fit glisser l'archet sur les cordes et, ensemble, le violon et lui chantèrent :

« *Vous, berges, collines, ruisseaux qui*
Le château de Montgomery entourez,
Que vertes soient vos forêts et vos fleurs jolies,
Jamais vos eaux ne tarissez.
Là l'été déplie sa parure première
Et je m'attarde longtemps aussi
Car, là, mes derniers adieux ai dû faire
A ma douce Highland Mary. »

Ce chant venu d'Ecosse lui en rappela un autre, et il reprit, avec le violon :

« *Mon cœur pleure, je n'ose le dire,*
Mon cœur pleure pour quelqu'un.
Oh! nuit d'hiver je pourrais souffrir,
Pour l'amour de ce quelqu'un. »

Maman était assise dans son fauteuil à bascule auprès du poêle, et Carrie et Grace confortablement installées sur la banquette, sous la fenêtre. Seule Laura allait et venait dans la pièce, incapable de tenir en place. Le violon chanta seul une ballade qui évoqua pour elle les roses sauvages de juin, puis il enchaîna vivement sur un autre air, pour se mêler à la voix de Papa :

« *Quand rassemblés en un cortège grandiose,*
Les hôtes scintillants constellaient les cieux,
Une seule étoile au cœur de cette apothéose,
Put retenir l'œil du pêcheur malheureux.
Elle fut mon tout, mon guide et ma lumière,
Elle ordonna que cessent mes sombres présages,
Et me conduisit au havre de paix,
A travers la tempête et l'esclavage.
Lors amarré en sûreté, tous périls écartés,
J'ai chanté, première de ce diadème,
Pour toujours, toujours et à jamais,
Est l'étoile, l'étoile de Bethléem. »

Grace dit tout doucement :

313

— L'étoile de Noël.

Le violon se remit à chanter pour lui-même, tandis que Papa, la tête penchée, prêtait l'oreille.

— Le vent souffle plus fort, dit-il, nous avons bien fait de rester à la maison.

Puis le violon repartit sur un rythme joyeux et Papa chanta, le rire dans la voix :

« *O, ne restez pas si longtemps dehors,*
Pourquoi tant de timidité?
Les gens ont l'oreille aux aguets, Victor,
Quand ils passent à la nuitée!
On n' sait jamais ce qu'ils peuvent penser,
Ont déjà dit choses de toutes sortes
Et si vous souhaitez nous parler,
Entrez donc et refermez la porte!
Entrez donc! Entrez donc! Entrez! »

Laura, stupéfaite, regardait Papa qui, les yeux rivés sur la porte, chantait à tue-tête :

— Entrez donc! Entrez donc! Entr...

Quelqu'un frappait à la porte. Papa, d'un hochement de tête, fit signe à Laura d'aller ouvrir, cependant qu'il terminait son couplet :

Entrez donc et refermez la porte!

Comme Laura ouvrait la porte, un tourbillon de neige s'engouffra dans la pièce, l'aveuglant momentanément; quand elle fut en mesure de voir, elle ne put en croire ses yeux et demeura

sans voix, maintenant la porte grande ouverte –
Almanzo se tenait debout là, la neige soulevée
par le vent tournoyant autour de lui.

— Entrez! lança Papa. Entrez donc et refermez la porte!

Frissonnant, il reposa le violon dans son étui et rajouta du charbon dans le feu.

— Ce vent vous glace jusqu'aux os, dit-il. Et l'attelage, où est-il?

— Je suis venu avec Prince et je l'ai rentré dans l'écurie, à côté de Lady, répondit Almanzo.

Il secoua son manteau couvert de neige et le suspendit aux cornes de bison cirées, accrochées près de la porte, tandis que Maman se levait de son fauteuil pour venir l'accueillir.

Laura s'était retirée à l'autre bout de la pièce, auprès de Carrie et Grace. Quand Almanzo regarda de leur côté, Grace s'écria :

— J'ai fait un sachet de bonbons en plus.

— Et moi, j'ai apporté quelques oranges, annonça Almanzo.

Il sortit un sac de papier de la poche de son manteau et ajouta :

— J'ai aussi un paquet avec le nom de Laura écrit dessus, mais, ne va-t-elle rien me dire?

— Je ne peux pas croire que ce soit vous, murmura Laura, vous aviez dit que vous seriez parti tout l'hiver.

— J'ai décidé de ne pas m'absenter aussi longtemps, et, comme vous voulez bien me parler, voici votre cadeau de Noël.

— Viens ranger le violon, Charles, dit Maman, et vous, Carrie et Grace, aidez-moi à apporter les boules de popcorn.

Laura ouvrit le petit paquet que lui donnait Almanzo, et découvrit à l'intérieur du papier de soie déplié un écrin blanc; elle souleva le couvercle et, là, posée sur un doux nid de coton blanc, se trouvait une broche en or en forme de barrette; sur la surface plate était gravée une petite maison que longeait un tout petit lac avec un brin d'herbes et de feuilles.

— Oh, elle est ravissante, dit Laura dans un souffle, merci!

— Ne pouvez-vous pas me remercier mieux que ça? demanda-t-il.

Et il l'entoura de ses bras tandis qu'elle lui donnait un baiser et murmurait :

— Je suis contente que vous soyez revenu.

Papa, suivi de Maman, revint de la cuisine, chargé d'un plein seau de charbon. Carrie apporta le plat de boules de popcorn et Grace offrit à chacun un sachet de bonbons.

Pendant qu'ils mangeaient ces friandises, Almanzo raconta comment, alors que Royal et lui-même gagnaient le Nebraska, au sud, ils avaient affronté les vents glacés tout le jour durant et campé, perdus sur l'immense prairie, sans maison, sans abri alentour. Il parla du magnifique bâtiment administratif qu'il avait vu à Ohama, des chemins boueux qu'ils avaient empruntés quand ils avaient obliqué vers l'est pour rejoindre l'Iowa, où les fermiers brûlaient leur maïs en guise de combustible parce qu'ils ne parvenaient même pas à le vendre vingt-cinq cents le boisseau. Il évoqua la capitale de l'Etat d'Iowa, Des Moines, les rivières en crue qu'ils avaient traversées dans l'Iowa et le Missouri, puis la remontée vers le nord, quand ils s'étaient trouvé face à face avec le fleuve Missouri.

Ainsi animée d'une conversation intéressante, la soirée passa à tire-d'aile jusqu'à ce que la vieille pendule sonnât minuit.

— Joyeux Noël, dit aussitôt Maman en se levant de son fauteuil.

Et tous répondirent gaiement :

– Joyeux Noël.

Almanzo revêtit son manteau, sa casquette et ses moufles, leur souhaita une bonne nuit et sortit dans la tempête. Comme il longeait la maison en repartant chez lui, on entendit le faible tintement des clochettes du traîneau.

— Papa, tu les avais entendues avant qu'il ne frappe ? interrogea Laura.

— Oui, et jamais plus souvent qu'à lui on n'a dit à quelqu'un d'entrer ! Je suppose qu'il ne pouvait pas m'entendre dans la tourmente.

— Allez, allez, les enfants, intervint Maman, si vous n'allez pas vite vous coucher, le Père Noël n'aura pas la moindre chance de pouvoir remplir les bas.

Au matin, il y aurait toutes les surprises que

l'on sortirait des bas, et, à midi, le festin de Noël avec une grosse dinde farcie, toute dorée et succulente. Almanzo serait là, car Maman l'avait invité à venir partager le déjeuner de Noël.

Le vent soufflait avec violence, mais sans ce hurlement et cette plainte déchirante caractéristiques du blizzard ; aussi Almanzo pourrait-il sans doute venir le lendemain.

Comme Laura éteignait la lampe, Carrie soupira :

— Oh, Laura ! n'est-ce pas le plus beau Noël qui soit ! Tu crois que les Noëls deviennent tous les ans de plus en plus beaux ?

— Oui, assura Laura, je le crois.

CHAPITRE 26

LES EXAMENS

Par l'une de ces tempêtes de neige qui sévissaient encore en mars, Laura s'en fut à la ville avec Papa en traîneau, pour y passer ses examens. Il n'y avait pas de classe ce jour-là, si bien que Carrie et Grace étaient restées à la maison.

L'hiver avait été plaisant sur la concession, pourtant, Laura était contente que le printemps fût bientôt de retour. Chemin faisant, blottie au creux des couvertures étendues sur la paille, elle songeait, sans évoquer de détails précis, à ces agréables dimanches d'hiver passés dans le confortable petit salon avec Almanzo et les siens, et se faisait une joie à l'idée de reprendre ces longues promenades au soleil et au vent de l'été; elle se demandait si Barnum serait encore docile après le long hiver passé à l'écurie.

Comme ils approchaient de l'école, Papa lui demanda si elle était inquiète à propos des examens :

— Oh, non, répondit-elle à travers le voile givré. Je suis sûre de réussir. Si seulement j'étais aussi sûre d'obtenir une école qui me plaise.

— Tu pourrais encore avoir l'école Perry, remarqua Papa.

— J'aimerais avoir un poste plus important, avec un salaire plus élevé, expliqua Laura.

— Enfin, dit Papa, chaque chose en son temps. La première difficulté à surmonter, ce sont les examens, et nous y sommes!

Laura s'agaça contre elle-même d'éprouver tant de timidité en entrant dans la salle de classe pleine d'étrangers. Presque toutes les tables étaient occupées, et la seule personne qu'elle connût était Florence Wilkins. Laura eut un sursaut de frayeur en lui disant bonjour; Florence avait les mains glacées et les lèvres pâles, tant elle avait peur. Elle lui fit à tel point pitié que Laura en oublia sa propre timidité.

— J'ai une peur bleue, lui confia Florence

d'une voix tremblante. Tous les autres sont de vieux instituteurs, et l'examen va être dur. Je n'arriverai jamais à l'avoir, j'en suis sûre.

— Pfu! je parie qu'ils ont une peur bleue, eux aussi! Ne t'inquiète pas, tu l'auras, ne t'affole pas, c'est tout. Tu sais bien que tu as toujours réussi tes examens.

Puis la cloche retentit, et Laura fut confrontée aux listes de questions. Florence avait raison, elles étaient difficiles. A force de se concentrer pour les résoudre, Laura était fatiguée quand vint l'heure de la récréation. A la fin de la matinée, elle sentit le cœur lui manquer et commença à désespérer d'obtenir son diplôme. Elle continua, cependant, à travailler sans relâche jusqu'à ce qu'elle eût enfin terminé. Sa dernière copie fut relevée en même temps que les autres, et Papa vint la chercher pour la ramener à la maison.

— Je ne sais pas, Papa, fut sa réponse à sa question. C'était plus dur que je ne pensais, mais j'ai fait du mieux que j'ai pu.

— Personne ne peut faire mieux que ça, lui assura Papa.

A la maison, Maman déclara que, sans nul doute, tout irait bien.

— Allons, ne te fais pas de mauvais sang. N'y pense plus jusqu'à ce que tu aies les résultats.

Maman était toujours de bon conseil, mais

322

Laura dut se le répéter chaque jour et presque toutes les heures. Elle s'endormait en se disant : « Ne te fais pas de soucis » et se réveillait en pensant avec terreur : « Il se peut que la lettre arrive aujourd'hui. »

A l'école, Florence n'avait aucun espoir, pas plus pour l'une que pour l'autre.

— C'était trop dur, répétait-elle, je suis certaine que seuls quelques-uns des plus âgés auront réussi.

Une semaine s'écoula, sans qu'il y eût de nouvelles. Laura n'attendit guère la visite d'Almanzo pour le dimanche, car Royal avait la grippe; Almanzo ne vint pas. Il n'y eut pas de lettre le lundi, non plus le mardi.

Un vent chaud avait à demi fondu la neige, et le soleil brillait, si bien que, le mercredi, Papa ne vint pas la chercher. Elle rentra donc à pied à la maison avec Carrie et Grace. La lettre était là... Papa l'avait retirée le matin même à la poste.

— Que dit-elle, Maman? s'écria Laura.

Et laissant choir son manteau, elle courut à l'autre bout de la pièce prendre la lettre sur la table.

— Voyons Laura! s'étonna Maman, tu sais très bien que, pas plus que je n'irais voler, je ne me permettrais de lire une lettre qui ne m'est pas adressée.

D'une main tremblante, Laura déchira l'enveloppe et en sortit un diplôme d'aptitude à l'enseignement — du second degré.

— C'est mieux que je ne pensais, dit-elle à Maman, j'espérais tout au plus obtenir un certificat du troisième degré. Et maintenant, si seulement j'avais la chance d'avoir un bon poste!

— Chacun se fait sa propre chance, dit Maman avec calme, qu'elle soit bonne ou mauvaise. Je suis certaine que tu auras ce que tu mérites.

Laura ne doutait pas d'obtenir le poste qu'elle méritait, mais comment se donner la bonne chance d'avoir celui qu'elle désirait? Laura ne songea guère à autre chose, cette nuit-là, et elle y pensait encore, le lendemain matin, quand Florence entra dans la salle de classe et vint directement à elle.

— Tu as réussi, Laura? demanda-t-elle.

— Oui, j'ai eu un certificat du second degré, lui répondit Laura.

— Je n'ai rien eu du tout, ce qui fait que je ne peux pas enseigner dans notre école, déclara sobrement Florence, mais voilà ce que je tenais à te dire : tu as essayé de m'aider, aussi je préférerais que ce soit toi qui aies le poste d'institutrice, plutôt que n'importe qui d'autre. Si tu le veux, Papa a dit que tu pouvais l'avoir; ce serait pour trois mois, à partir du premier avril, avec un salaire de trente dollars par mois

C'est à peine si Laura put trouver le souffle pour répondre :

— Oh, oui, j'ai envie de l'avoir!

— Papa a dit que, si tu acceptais, tu viennes le voir et le conseil d'administration signerait le contrat.

— J'y serai demain après-midi, merci Florence, merci *beaucoup*.

— Tu sais, tu t'es toujours montrée extrêmement gentille pour moi, je suis contente d'avoir l'occasion de faire quelque chose pour toi, à mon tour.

Laura se rappela les paroles de Maman à propos de la chance et se dit à elle-même : « Je crois bien que nous faisons l'essentiel de notre chance sans le vouloir. »

CHAPITRE 27

L'ÉCOLE EST FINIE

A la fin du dernier jour de classe du mois de mars, Laura rassembla ses livres et les empila avec soin sur son ardoise, puis, pour la dernière fois, promena son regard autour de la salle de classe ; elle n'y reviendrait jamais plus. Le lundi, elle commencerait à enseigner à l'école Wilkins, et un jour de l'automne prochain, Almanzo et elle seraient mariés.

Carrie et Grace attendaient, mais Laura s'attardait à son pupitre, éprouvant un étrange serrement de cœur. Ida, Mary Power et Florence seraient là, la semaine suivante, et, désormais, Carrie et Grace feraient sans elle le trajet à pied jusqu'à l'école.

Excepté M. Owen, encore assis à son bureau, la pièce était déserte à présent, et il lui fallait s'en aller. Laura prit ses livres et se dirigea vers la porte. Elle s'arrêta devant le bureau de M. Owen et dit :

— Je dois vous dire adieu, car je ne reviendrai pas.

— J'ai entendu dire que vous alliez de nouveau enseigner. Vous allez nous manquer, mais ce sera avec plaisir que nous vous reverrons à l'automne prochain.

— C'est ce dont je veux vous parler ; c'est un adieu, répéta Laura. Je vais me marier, c'est pourquoi je ne reviendrai plus du tout.

M. Owen se leva d'un bond et se mit à arpenter nerveusement l'estrade.

— Je suis désolé, dit-il soudain, non pas désolé que vous vous mariiez, mais désolé de ne pas vous avoir certifiée ce printemps-ci. Je ne l'ai pas fait pour... pour une stupide question d'orgueil ; je voulais certifier toute la classe en même temps, et certains n'étaient pas prêts. C'était injuste à votre égard, j'en suis désolé.

— Cela n'a pas d'importance, répondit Laura. Je suis heureuse de savoir que j'aurais pu l'être.

Puis ils se donnèrent une poignée de main, et M. Owen lui fit ses adieux, en lui souhaitant de réussir dans toutes ses entreprises.

Comme Laura descendait l'escalier, elle pensa : « Les derniers moments semblent toujours tristes, mais en fait ce ne l'est pas vraiment. La fin d'une chose n'est que le commencement d'une autre. »

Le dimanche soir, après avoir dîné à la maison, Almanzo et Laura montèrent dans le boghei et s'en furent par-delà la ville, au nord-ouest, vers la concession des Wilkins qui se trouvait à six kilomètres de là. Barnum allait au pas. Le crépuscule fit place à la nuit, les étoiles parurent dans l'immensité du ciel et la prairie s'étendit au loin, sombre et mystérieuse.

Dans le silence, Laura commença à chanter :

« Les étoiles roulent dans les cieux,
La ierre continue de rouler sous elles,
Et tandis que nous allons, autour de son essieu
La roue tourne dans un bruit de crécelle ;
Alors, marchez braves garçons,
Et faites-la tourner de plus belle !
Pourquoi les roues jamais ne tourneront,
Telles les planètes dans le ciel ? »

Almanzo rit tout haut :

— Vos chansons sont comme celles de votre père ! Toujours de circonstance.

— C'est un couplet tiré du « Vieux chant du moulin de discipline », lui expliqua Laura, mais il semblait bien convenir pour les étoiles et les roues du boghei.

— Il n'y a qu'un mot qui ne convienne pas, remarqua Almanzo, jamais aucune de mes roues de boghei ne fera de bruit de crécelle. Je veille à ce qu'elles soient toujours bien vissées et graissées. Et quand ces roues auront roulé pendant trois mois de plus dans cette direction, vous en aurez fini avec l'école, pour de bon !

— Je suppose que vous voulez dire, pour le meilleur ou pour le pire, dit Laura d'un ton grave, mais il vaudrait mieux que ce soit pour le meilleur.

— Ce le sera, lui assura Almanzo.

CHAPITRE 28

LE CHAPEAU
COULEUR CRÈME

La nouvelle école se dressait à l'un des angles de la concession de M. Wilkins, non loin de la maison d'habitation. Quand Laura ouvrit la porte de la salle de classe, le lundi matin, elle vit que c'était là l'exacte réplique de l'école Perry, jusqu'au dictionnaire placé sur le bureau et au clou planté au mur pour sa capeline.

C'était un heureux présage, pensa-t-elle — elle ne se trompait pas. Elle y vivait des jours heureux. Elle se sentait compétente, à présent, et savait si bien aborder chaque petite difficulté qu'aucune ne subsistait au-delà de la journée. Ses élèves étaient obéissants et gentils, et les petits l'amusaient souvent, bien qu'elle ne le leur fît pas voir.

Laura prenait pension chez les Wilkins. Tous se montraient bienveillants à son égard et aimables les uns envers les autres. Florence allait encore à l'école et, le soir, lui contait tous les petits événements survenus au cours de la journée. Laura partageait la chambre de Florence, et toutes deux y passaient leurs soirées, confortablement installées avec leurs livres.

Le dernier vendredi du mois d'avril, M. Wilkins remit à Laura vingt-deux dollars — son premier mois de salaire, diminué des huit dollars que coûtait sa pension. Almanzo la reconduisit à la maison le même soir, et, le jour suivant, elle se rendit en ville avec Maman pour y acheter diverses étoffes. Elles prirent une toile de calicot, blanchie sur pré, pour les sous-vêtements : chemises, pantalons, jupons et chemises de nuit — deux de chaque.

— Ceux-ci, avec ceux que tu as déjà, devraient être amplement suffisants, déclara Maman.

Elles choisirent une toile de calicot plus résistante pour confectionner deux paires de draps et deux paires de taies d'oreillers.

Pour la robe d'été de Laura, elles achetèrent

dix mètres de linon rose tendre, parsemé de petites fleurs et feuilles vert pâle, puis allèrent chez Mlle Bell, afin d'y trouver un chapeau qui s'assortît à la robe.

Il y avait là plusieurs chapeaux ravissants, mais Laura sut immédiatement celui qu'elle voulait. Il s'agissait d'un chapeau de paille fine, couleur crème, dont les bords étroits couvraient à demi le front de Laura, sur le devant, et se relevaient davantage sur les côtés. Il y avait, autour de la coiffe, un ruban de satin un tantinet plus foncé que la paille, et, plantées fièrement sur le côté gauche, trois petites plumes d'autruche en camaïeu, allant du ton crème clair de la paille au ton un rien plus soutenu que celui du ruban. Un mince fil de caoutchouc guipé de soie blanche, qui s'ajustait, à peine visible, sous son opulente chevelure nouée en chignon, maintenait le chapeau en place.

Comme elles remontaient la rue, après en avoir fait l'emplette, Laura supplia Maman de prendre cinq dollars pour qu'elle s'offrît quelque chose.

— Non, Laura, refusa Maman, tu es gentille d'y penser, mais je n'ai besoin de rien.

Elles regagnèrent donc le chariot qui les attendait devant la quincaillerie Fuller. Quelque chose de volumineux, dissimulé sous une couverture de cheval, se trouvait dans la caisse, à l'arrière. Laura se demanda de quoi il pouvait s'agir, mais n'eut pas le temps de regarder, car, très vite, Papa détacha les chevaux, et tous prirent le chemin du retour.

— Qu'est-ce tu as à l'arrière, Charles? interrogea Maman.

— Je ne peux pas te montrer maintenant, Caroline. Attends que nous soyons à la maison, répondit Papa.

Une fois arrivés, Papa arrêta le chariot tout près de la porte d'entrée.

— Maintenant, les filles, dit-il, rentrez vos paquets, mais laissez le mien tranquille jusqu'à ce que je sois revenu d'avoir mis les chevaux à l'écurie. N'allez pas guigner sous la couverture non plus!

Il détela les chevaux et les emmena sans plus tarder.

— Voyons, qu'est-ce que ça peut bien être? demanda Maman à Laura.

Elles attendirent. Dès qu'il eut terminé, Papa revint d'un pas pressé et ôta la couverture — il y avait là une resplendissante machine à coudre toute neuve!

— Oh, Charles! s'exclama Maman, le souffle coupé.

— Oui, Caroline, elle est à toi, déclara fièrement Papa. Il va y avoir beaucoup de couture à faire en plus avec l'arrivée de Marie et le départ de Laura; j'ai pensé que tu aurais besoin d'un peu d'aide.

— Mais comment as-tu pu? demanda Maman tout en caressant les pieds en fonte, laqués noir, de la machine.

— De toute façon, il fallait que je vende une vache, Caroline, sans quoi il n'y aurait pas eu assez de place dans l'écurie, l'hiver prochain, expliqua Papa. Et maintenant, si vous voulez bien m'aider à la décharger, nous ôterons le couvercle pour voir comment elle est.

Il y avait bien longtemps, Laura s'en souvenait, l'intonation qui perçait dans la voix de Maman lorsqu'elle parlait d'une machine à coudre, lui avait fait penser qu'elle en désirait une, et Papa ne l'avait pas oubliée.

Il enleva la planche qui fermait la caisse du chariot, à l'arrière, et tous trois, Maman, Laura et lui descendirent la machine avec précaution et la transportèrent dans le petit salon, tandis que Carrie et Grace virevoltaient autour d'eux, tout excitées. Papa souleva ensuite le couvercle et tous restèrent muets d'admiration.

— Elle est magnifique, dit enfin Maman, et quelle aide précieuse cela va être! J'ai hâte de l'utiliser.

Mais c'était un samedi, et il était tard; la machine devrait rester inactive jusqu'au lundi.

La semaine suivante, Maman étudia le mode

d'emploi et apprit à la faire marcher, puis, le samedi, Laura et elle commencèrent à travailler à la robe de linon. L'étoffe était si apprêtée et fraîche, les couleurs, si délicates, que Laura n'osa pas la tailler, de peur de se tromper, mais Maman avait déjà confectionné tant de robes qu'elle ne recula point. Elle prit les mesures de Laura, établit le patron du corsage à l'aide de sa réglette de couturière et, sans hésitation, coupa le linon.

Elles firent le corsage très près du corps, avec

335

deux groupes de petits plis dans le dos et sur le devant, lequel se boutonnait au milieu, entre le plissé, par de tout petits boutons de nacre blanche. Le col, montant et droit, était fait d'un revers de linon, et les manches, longues, soutenues aux épaules et bien ajustées, étaient terminées par un ourlet de même largeur que les plis.

La jupe, amplement froncée autour de la taille, était montée sur une étroite ceinture, qui se boutonnait au bas du corsage de façon à le maintenir bien en place. Des plis religieuse, légèrement espacés les uns des autres, garnissaient, de haut en bas, tout le pourtour de la jupe. Enfin, dépassant du dernier pli, un ruché de dix centimètres de large effleurait le bout des bottines de Laura.

Cette robe était terminée quand Almanzo ramena Laura à la maison, le dernier vendredi du mois de mai.

— Oh, qu'elle est jolie, Maman! s'exclama Laura en la voyant, tous ces plis sont si réguliers et si joliment piqués!

— Franchement, déclara Maman, je ne sais pas comment nous nous en sommes passées jusqu'à maintenant. Elle rend le travail si aisé que faire des plis ne donne aucun mal, et elle fait de si jolis points qu'il serait impossible à la meilleure des couturières de faire aussi bien à la main.

Laura demeura un moment silencieuse à admirer sa nouvelle robe cousue à la machine, puis annonça :

— M. Wilkins m'a donné aujourd'hui un autre mois de salaire, et je n'en ai vraiment pas l'utilité. Il me reste quinze dollars sur ma paye d'avril. J'aurai besoin d'une nouvelle robe pour l'automne prochain...

— Oui, et tu vas avoir besoin d'une jolie robe de mariée, l'interrompit Maman.

— Quinze dollars devraient suffire pour les deux, réfléchit Laura. Ces deux-là, avec les vêtements que j'ai déjà, me feront un bon moment, de plus, j'aurai encore vingt-deux dollars le mois prochain. J'aimerais que toi et Papa preniez ces quinze dollars, je t'en prie, Maman, prends-les pour payer le séjour de Marie ou pour lui acheter les vêtements dont elle a besoin.

— Nous pouvons y arriver sans te prendre l'argent que tu auras gagné pour ton dernier trimestre d'école, dit calmement Maman.

— Je sais que vous pouvez, mais vous avez bien des frais, toi et Papa. J'aimerais encore participer, juste cette fois-ci ; comme ça, j'aurais moins de remords de m'en aller, de ne plus aider et d'avoir tous ces jolis habits pour moi, insista Laura.

Maman céda :

— Si cela te fait plaisir de le faire, donne-les à ton Papa. Etant donné qu'il a dépensé pour la machine à coudre ce qu'il avait reçu en échange de la vache, il sera content de les avoir, je le sais.

Papa fut surpris et objecta que Laura en aurait elle-même besoin, mais il fut content de les accepter après qu'elle eut expliqué la situation et insisté à nouveau :

— Ça va m'ôter une épine du pied, reconnut-il, mais c'est la dernière. A partir de maintenant, je pense que nous allons avoir les coudées franches ; la ville se développe à une telle allure que je vais avoir plein de travaux de charpenterie à faire. Le bétail aussi prospère vite, il augmente à une vitesse qui bat tous les records et il vit en dehors du terrain cultivé. Et puis, l'année prochaine, je gagne mon pari avec l'Oncle Sam, et ces terres seront à nous. Tu vois, tu n'auras plus jamais besoin de te soucier de nous aider, ma petite Pinte ; tu as fait ta part, et le reste.

Ce dimanche soir, Laura repartit avec Almanzo, le cœur plein de joie. Pourtant, il semblait qu'il dût toujours y avoir quelque souhait insatisfait. Elle regrettait, à cet instant, de devoir manquer l'arrivée de Marie. Celle-ci allait arriver durant la semaine, alors que Laura serait en train de faire à ses élèves une leçon sur les fractions.

Le vendredi après-midi, Almanzo vint avec Prince et Lady qui firent tout le chemin du retour au grand trot. Comme ils approchaient de la porte de la maison, Laura entendit la musique de l'orgue. Elle descendit du boghei avant même qu'Almanzo eût arrêté les chevaux et rentra en courant.

— A dimanche, lui cria-t-il.

En guise de réponse, Laura agita sa main baguée. L'instant d'après, sans laisser le temps à Marie de se lever du tabouret, elle la serrait fort dans ses bras, et Marie dit aussitôt :

— Oh, Laura! tu ne peux pas savoir comme j'ai été surprise de trouver l'orgue qui m'attendait ici.

— Nous avons dû garder le secret longtemps, répondit Laura, mais nous avons bien fait de te garder la surprise, n'est-ce pas? Marie, laisse-moi te regarder, comme tu as bonne mine!

Marie était plus jolie que jamais et jamais Laura ne se lasserait de la regarder. Elles avaient tant de choses à se dire qu'elles parlaient à tout instant. Le dimanche après-midi, elles gravirent une fois de plus la petite colline, par-delà l'écurie, et Laura cueillit une brassée de roses sauvages pour Marie.

— Laura, demanda Marie d'un ton grave, tu as vraiment envie de quitter la maison pour épouser ce jeune Wilder?

Laura parla sur un ton sérieux, elle aussi :

— Désormais, ce n'est plus ce jeune Wilder, Marie. C'est Almanzo. Tu ne sais rien de lui, n'est-ce pas? ou pas grand-chose depuis l'Hiver Sans Fin.

— Je me souviens qu'il était allé chercher le blé, bien sûr, mais pourquoi veux-tu quitter la maison et partir avec lui? insista Marie.

— Je suppose que c'est, tout simplement, parce que nous semblons faits l'un pour l'autre; et puis, j'ai pratiquement quitté la maison, de toute façon; je suis si souvent partie! Je ne serai pas plus loin que je ne le suis en étant chez les Wilkins.

— Eh oui, j'imagine que les choses doivent en être ainsi. Je suis partie au collège, et maintenant tu t'en vas. Il faut croire que c'est ce que l'on appelle grandir.

— C'est curieux de penser que Carrie et Grace sont maintenant plus âgées que nous, du temps où nous vivions en Territoire indien. Elles grandissent, elles aussi. Pourtant, ce serait encore plus bizzare si nous restions pour toujours comme nous l'étions alors, tu ne trouves pas?

— Le voilà qui arrive, dit Marie qui avait entendu le boghei et le bruit des sabots de Prince et Lady.

A voir ses beaux yeux bleus tournés dans leur

direction comme si elle les voyait, personne n'eût pu deviner qu'elle était aveugle.

— Je t'ai à peine vue, et maintenant, il faut que tu t'en ailles, ajouta-t-elle tristement.

— Pas avant le dîner. Je serai de nouveau là vendredi prochain, et puis, nous aurons tout juillet et la plus grande partie du mois d'août pour être ensemble, lui rappela Laura.

A quatre heures de l'après-midi, le dernier vendredi du mois de juin, Almanzo vint s'arrêter avec Skip et Barnum devant la porte des Wilkins, pour ramener Laura à la maison. Tandis qu'ils roulaient sur cette route qui leur était maintenant familière, Almanzo observa :

— Et voici une autre école terminée, la dernière.

— Vous en êtes sûr? demanda Laura gravement.

— Pourquoi, pas vous? Vers la fin septembre, c'est vous qui ferez frire les crêpes de mon petit déjeuner, dit-il.

— Ou peut-être un peu plus tard, promit Laura.

Almanzo avait déjà commencé à construire la maison, sur la concession plantée d'arbres.

— En attendant, que fait-on le quatre juillet? Avez-vous envie d'aller à la fête?

— Je préférerais de beaucoup aller faire une promenade, répondit Laura.

— Ça me va! Ces chevaux sont de nouveau tout excités. J'ai travaillé ces temps-ci à la construction de la maison, ce qui fait qu'ils ont eu quelques jours de repos. Il est temps qu'on les calme un peu en faisant une de nos longues promenades.

— Quand vous voudrez! Je suis libre, maintenant, s'écria gaiement Laura.

Elle se sentait pareille à l'oiseau sorti de sa cage.

— Alors nous ferons la première grande promenade le quatre, décida Almanzo.

Ainsi, le jour de la fête de l'Indépendance, aussitôt après le déjeuner, Laura revêtit pour la première fois sa nouvelle robe de linon et mit, pour la première fois, son chapeau couleur crème, à plumes d'autruche. Elle était prête quand arriva Almanzo.

Skip et Barnum laissèrent à Laura le temps de monter dans le boghei, mais on les sentait nerveux et impatients de partir.

— Ça les a excités de passer par la ville au milieu de la foule, expliqua Almanzo. Nous n'irons qu'au bout de la Grand-Rue pour que vous puissiez voir les drapeaux, et ensuite nous nous dirigerons au sud, loin du bruit.

La route qui partait au sud, en direction du village de Brewster, avait tellement changé qu'on avait peine à croire que ce fût celle qu'ils avaient empruntée tant de fois, pour se rendre à l'école où Laura avait enseigné pour la première fois. De nouvelles cabanes de concession et quelques maisons étaient partout disséminées sur la prairie, au milieu de nombreux champs de blé en pleine croissance. Des vaches, des bœufs et des chevaux broutaient le long du chemin.

La prairie, alors blanchie par la neige que chassait le vent, revêtait à présent les mille nuances du vert tendre. Mais le vent soufflait toujours; un vent chaud, venu du sud, qui se jouait parmi les herbes folles et les graminées des champs, faisait flotter derrière eux la crinière et la queue des chevaux, soulevait les franges de la couverture qui, bordée avec soin, protégeait la délicate robe de linon de Laura, et agitait les ravissantes plumes d'autruche couleur crème — qu'il arracha...

Elle n'eut que le temps de les rattraper du bout des doigts alors que le vent les emportait en tourbillonnant.

— Oh! Oh! fit-elle, dépitée. Elles ne devaient sans doute pas être bien cousues.

— Ça ne fait pas encore assez longtemps que Mlle Bell est dans l'Ouest, elle n'a pas l'habitude des vents de la prairie, remarqua Almanzo. Il vaut mieux que vous me laissiez mettre ces plumes dans ma poche avant que vous ne les perdiez.

Il était l'heure du dîner lorsqu'ils rentrèrent de la promenade. Almanzo fut invité à partager les restes du repas de fête que Maman avait préparé pour le déjeuner. Il y avait du poulet en quantité et du pâté en croûte, un gâteau et un pichet de limonade faite avec la bonne eau fraîche du puits.

Au cours du dîner, Almanzo proposa d'emmener Carrie et Laura voir le feu d'artifice.

— Les chevaux ont fait une si longue randonnée que je ne pense pas qu'ils fassent d'incartades, dit-il pour les rassurer.

Mais Maman répondit :

— Laura peut y aller, bien sûr, si elle le désire ; elle est habituée aux chevaux de cirque. Mais il vaut mieux que Carrie n'y aille pas.

Si bien qu'Almanzo et Laura partirent seuls.

Ils gardèrent les chevaux bien à l'écart de la foule, de façon que personne ne fût piétiné ou écrasé, et attendirent dans le boghei, dans cet endroit dégagé et relativement éloigné. Bientôt un sillon de feu s'éleva dans l'obscurité au-dessus des spectateurs rassemblés et explosa sous forme d'étoile.

Dès le premier éclair, Barnum se dressa sur ses pieds de derrière, Skip fit un bond, et tous deux s'élancèrent au galop, tirant dans leur course folle le boghei après eux. Almanzo leur fit rapidement décrire un large cercle, les ramenant face au feu d'artifice, à l'instant où jaillissait une seconde étoile.

— Ne vous tracassez pas pour les chevaux, je m'en occupe, vous, pendant ce temps-là, vous regardez le feu d'artifice.

C'est donc ce que fit Laura. Après chacune de ces explosions de lumière sur le noir du ciel, Almanzo faisait virer le boghei, ramenant toujours Skip et Barnum à temps pour que Laura pût voir partir le nouveau trait de feu qui éclosait en bouquet. Ce n'est que lorsque la dernière gerbe d'étincelles se fut évanouie qu'Almanzo et Laura s'en retournèrent.

— Heureusement que les plumes sont dans votre poche, remarqua Laura, si je les avais eues sur mon chapeau pendant que je regardais le feu d'artifice, elles auraient sans doute été arrachées tellement nous tournions vite.

— Vous croyez qu'elles sont encore dans ma poche? s'exclama Almanzo, surpris.

— Je l'espère bien, si vous les avez, je pourrai les recoudre sur mon chapeau.

Les plumes y étaient toujours et lorsque Almanzo les lui tendit, une fois arrivés à la maison, il lui rappela :

— Je viendrai vous chercher dimanche; ces chevaux ont besoin d'exercice.

CHAPITRE 29

TORNADE

Il fit une chaleur intense durant toute la semaine; le dimanche matin, à l'église, Laura suffoquait. Des vagues de chaleur, opalescentes, s'élevaient en tremblant par-delà les fenêtres, et le souffle capricieux de la brise était lui-même chaud.

Quand le service fut terminé, Laura trouva Almanzo qui l'attendait au-dehors pour la ramener à la maison. Il dit, en l'aidant à monter dans le boghei :

— Votre mère m'a invité à déjeuner, et après,

346

nous irons de nouveau promener les chevaux. Il fera chaud cet après-midi, ajouta-t-il une fois installé dans le boghei, mais ce sera plus agréable de rouler que de rester à la maison, si toutefois il ne fait pas d'orage.

— Mes plumes sont bien cousues, dit Laura en riant, alors, que le vent souffle !

Peu après le bon déjeuner du dimanche de Maman, ils se mirent en route vers le sud à travers la prairie doucement vallonnée, qui s'étendait à l'infini. Le soleil dardait ses rayons cuisants, et, même à l'ombre de la capote du boghei qui allait bon train, la chaleur se faisait étouffante. La brise, d'ordinaire fraîche et régulière, leur parvenait par chaudes bouffées.

Les vagues de chaleur chatoyantes prenaient l'apparence de nappes argentées qui fuyaient devant eux à mesure qu'ils approchaient, tels les mirages, et des vents fantômes se faufilaient entre les herbes, les tordant en de folles contorsions, puis poursuivaient leur course, montaient et s'évanouissaient.

De sombres nuages commencèrent à se grouper au nord-ouest, au bout d'un moment, et la chaleur devint encore plus pesante.

— C'est un drôle d'après-midi, je crois que nous ferions mieux de rentrer, suggéra Almanzo.

— Oui, rentrons, et vite, le pria Laura, je n'aime pas la tournure que prend le temps.

La masse noire des nuages s'élevait tandis qu'Almanzo faisait faire demi-tour aux chevaux. Il arrêta ceux-ci et tendit les guides à Laura.

— Tenez-les pendant que je mets les rideaux du boghei, il va pleuvoir, dit-il.

Il défit en un tour de main les lanières qui maintenaient le rideau relevé à l'arrière, le laissa se dérouler, le boutonna sur les côtés et à la base, fermant comme il faut l'arrière du boghei. Puis il sortit de dessous la banquette les deux rideaux de côté et les attacha par les boutons-pression sur tout le pourtour de la capote.

Une fois revenu à sa place, Almanzo déroula le tablier en caoutchouc dont il fixa le rabat par-dessus le bord supérieur du garde-boue, où il s'ajustait bien hermétiquement.

Laura admira combien ce tablier était bien conçu. Il y avait un petit trou qui s'adaptait sur le porte-fouet, de sorte que le fouet pouvait rester à sa place habituelle. Il y avait également une fente au travers de laquelle Almanzo passa les guides; il pouvait ainsi les tenir en mains, sous le tablier, et une patte se rabattait sur la fente, de façon à empêcher la pluie de pénétrer. Le tablier était si large qu'il retombait, de chaque côté, sur la caisse du boghei et se boutonnait sur les montants de côté de la capote, jusqu'à hauteur du menton, leur permettant ainsi de voir au-dehors.

Tout ceci fut fait rapidement. En l'espace d'un instant, Laura et Almanzo se retrouvèrent confortablement à l'abri, dans une boîte faite de rideaux de toile caoutchoutée. Pas une goutte d'eau ne pouvait percer le tablier, les rideaux ou la capote tendue au-dessus de leurs têtes.

Comme il reprenait les guides des mains de Laura et faisait repartir les chevaux, Almanzo claironna :

— Et maintenant, qu'il pleuve !

— Oui, répondit Laura, s'il doit pleuvoir, mais peut-être qu'en nous dépêchant, nous pourrons arriver à la maison avant que l'orage n'éclate.

Almanzo activa les chevaux, sans plus attendre. Ils avançaient à vive allure, mais la nuée noire montait plus rapidement encore, roulant et grondant dans le ciel. Almanzo et Laura l'observaient en silence. La terre entière semblait s'être tue, comme pétrifiée de terreur. Le martellement pressé des sabots des chevaux et les légers grincements du boghei qui filait à toute vitesse semblaient perdus dans tout ce calme. Les énormes nuages s'enflaient, se tordaient, luttaient, s'enchevêtraient, comme sous l'effet de la fureur et de l'agonie, transpercés par intermittence par de brefs éclairs pourpres. L'air, cependant, demeurait immobile, il n'y avait aucun bruit, la chaleur augmentait. La

frange de Laura était mouillée par la transpira-
tion; les boucles, défaites, pendaient sur son
front, cependant que des gouttes de sueur
coulaient le long de ses joues et de son cou.
Almanzo poussait les chevaux sans relâche.

Presque au-dessus de leurs têtes, à présent, les
nuages affolés, tourbillonnants, passèrent du
noir à un terrifiant violet verdâtre. Ils parurent
se regrouper, et de cette nuée sortit lentement un
« doigt » tâtonnant qui se tendit dans un effort
pour atteindre la terre; il l'atteignit, se rétracta
pour l'atteindre à nouveau.

— C'est à quelle distance d'ici? demanda
Laura.

— A quinze kilomètres, je pense.

La tornade se rapprochait d'eux, venant du
nord-ouest, tandis qu'ils filaient vers le nord-est.
Nul cheval, quelle que fût la rapidité de son
galop, ne pouvait surpasser la vitesse à laquelle
se déplaçaient ces nuages d'un vert violacé, qui
roulaient dans le ciel au-dessus de la prairie
impuissante et s'amusaient à s'avancer de temps
à autre jusqu'à elle, à la manière du chat qui, de
sa patte, tourmente la souris.

Un second « doigt » descendit, hésitant, à la
suite du premier, puis un autre, et ces trois
« doigts » surgis des nuages convulsés, touchèrent le sol, se rétractèrent et le touchèrent à
nouveau.

Tous trois tournèrent alors légèrement vers le sud, puis, l'un après l'autre, rapidement, touchèrent la terre sous la masse des nuages, tout en se déplaçant vivement avec elle. Ils passèrent derrière le boghei, vers l'ouest, et continuèrent en direction du sud. Un vent terrible souffla soudain, avec une telle puissance que le boghei fut balancé de droite et de gauche, mais cette tornade était passée. Laura, tremblante, respira longuement :

— Si nous avions été à la maison, Papa nous aurait envoyés à la cave... et j'aurais été contente d'y aller.

— Nous aurions eu grand besoin d'une cave si cette tornade était venue de notre côté. Jamais encore je ne me suis réfugié dans un abri contre les cyclones, mais s'il m'arrive de revoir un nuage comme celui-ci, j'irai, avoua Almanzo.

Le vent changea brusquement, venant du sud-ouest et apportant avec lui une soudaine fraîcheur.

— La grêle, dit Almanzo.

— Oui, en effet.

Quelque part, la grêle était tombée de ce nuage.

Tout le monde à la maison fut heureux de les voir arriver. De sa vie, jamais Laura n'avait vu Maman si pâle, ni si reconnaissante. Papa remarqua qu'ils avaient fait preuve de bon sens en rebroussant chemin au moment où ils l'avaient fait.

— Cette tornade est en train de faire bien des dégâts, dit-il.

— Oui, et je trouve que c'est une bonne idée d'avoir une cave, dans cette région-ci, répondit Almanzo.

Puis il demanda à Papa ce qu'il penserait de partir avec lui voir si quelqu'un avait besoin d'aide, là où était passée la tornade, de l'autre côté du pays. Papa et Almanzo partirent donc avec le boghei, laissant Laura à la maison.

Quoique la tempête fût passée et que le ciel fût à présent dégagé, elles étaient encore inquiètes.

L'après-midi s'écoula; Laura s'était changée, puis, aidée de Carrie, avait fait les corvées avant le retour de Papa et d'Almanzo. Maman servit un repas froid et, tout en mangeant, ils racontèrent ce qu'ils avaient vu dans le sillage de la tornade.

Un homme installé non loin au sud de la ville venait juste de terminer de battre sa récolte de quarante hectares de blé; une moisson magnifique, qui lui eût à la fois permis de payer toutes ses dettes et de mettre de l'argent en banque. Les batteurs et lui avaient travaillé ce jour-là pour achever la besogne, et il venait d'envoyer ses deux jeunes fils rendre une charrette qu'ils avaient empruntée à un voisin, pour aider au battage. L'homme était juché sur une meule de foin lorsqu'ils virent la tornade arriver.

Il se réfugia à temps dans son abri, mais la tornade emporta son blé, ses meules de foin, ses machines, ses chariots, ses étables, sa maison — tout. Il ne restait plus rien que les terres rasées de sa concession.

Les deux garçons qui étaient partis à dos de mulets avaient totalement disparu. Mais, juste avant l'arrivée de Papa et d'Almanzo, l'aîné, un enfant âgé de neuf ans, était revenu, complètement nu. Son frère et lui rentraient avec les mulets, au grand galop, expliqua-t-il, quand ils furent frappés par la tornade. Elle les souleva tous deux en même temps et les emporta en un tournoiement dans les airs, alors qu'ils étaient encore harnachés côte à côte. Ils tourbillonnèrent de plus en plus vite, entraînés toujours plus haut, à tel point qu'il commença à se sentir pris de vertige et cria à son petit frère de se cramponner à son mulet. Au même instant, l'air s'épaissit de paille tournoyante et s'assombrit si bien qu'il ne put plus rien voir. Il sentit le harnais se détacher d'une secousse, et sans doute dut-il s'évanouir, car il ne fut plus conscient de rien si ce n'est de s'être retrouvé seul, dans un ciel dégagé.

Il apercevait le sol sous lui, alors qu'il

tournoyait toujours, redescendant à chaque tour un peu plus, si bien qu'enfin, il fut proche de la terre. Il essaya de sauter pour ramener ses pieds sous lui, puis atterrit brutalement en courant, fit quelques mètres à toutes jambes et tomba. Après être resté allongé là quelques instants, pour se reposer, il reprit le chemin de la maison.

Il n'avait touché terre qu'à deux kilomètres à peine de la concession de son père. Il n'avait plus rien sur lui, pas le moindre lambeau de vêtement. Ses hauts brodequins à lacets avaient eux-mêmes disparu, mais il n'avait aucun mal. Comment ses brodequins avaient-ils pu lui être enlevés, sans même qu'il eût aux pieds la moindre meurtrissure? — c'était là un mystère.

Des voisins cherchaient de tous côtés l'autre enfant et les mulets, mais on ne trouvait aucune trace d'eux. Il n'y avait guère d'espoir qu'ils fussent vivants.

— Et pourtant, si cette porte en est réchappée..., dit Almanzo.

— Quelle porte? voulut savoir Carrie.

C'était le phénomène le plus étrange que Papa et Almanzo eussent vu ce jour-là. Cela s'était passé sur la concession d'un autre colon, plus au sud. Tout son domaine avait été entièrement rasé, lui aussi. Quand cet homme et sa famille étaient ressortis de leur cave, ils n'avaient plus trouvé que deux taches dénudées sur le sol, là où se dressaient l'étable et la maison. Bœufs, chariot, outils, poulets, tout était parti. Ils n'avaient plus rien que. les vêtements qu'ils portaient, et une couverture que sa femme avait emportée à la hâte pour en envelopper le bébé, dans la cave.

— J'ai de la chance, je n'avais pas de récolte à perdre, avait dit cet homme à Papa.

Ils n'avaient emménagé sur leur concession qu'au printemps seulement, et il n'avait pu planter que quelques pommes de terre de semence.

Au coucher du soleil, alors que Papa et Almanzo avaient abandonné les recherches et rentraient, ils vinrent à passer par là et s'y arrêtèrent un moment. Le fermier et les siens avaient ramassé des planches et des morceaux de bois tombés au cours de la tornade; et l'homme calculait combien il lui en faudrait encore pour pouvoir construire quelque abri pour sa famille.

C'est alors que l'un des enfants remarqua la présence d'un petit objet foncé, haut dans le ciel clair, au-dessus d'eux. Cela ne ressemblait pas à un oiseau, mais semblait grossir. Ils le regardèrent tous descendre lentement dans leur direction, pendant un moment, puis ils virent que c'était une porte. Elle atterrit en douceur devant eux — c'était la porte d'entrée de leur cabane disparue.

Elle était en parfait état, pas le moins du monde abîmée, sans même une éraflure. Ce qu'il y avait d'étonnant, c'était que personne ne sût où elle était allée toutes ces heures durant, et qu'elle fût redescendue d'un ciel sans nuages, juste à l'endroit où s'était trouvée la cabane.

— Jamais je n'ai vu un homme plus retourné qu'il ne l'était, déclara Papa. Enfin, il n'aura pas besoin d'acheter de porte pour sa nouvelle cabane. Elle est même revenue avec ses gonds.

Ils étaient tous stupéfaits. De toute leur vie, jamais aucun d'eux n'avait entendu parler d'un fait plus étrange que le retour de cette porte. C'était impressionnant d'imaginer combien elle avait dû être portée haut ou loin dans les airs, pendant toutes ces heures.

— C'est un drôle de pays, par ici, dit Papa, il s'y passe des choses bien curieuses.

— Oui, approuva Maman. Je suis reconnaissante que jusqu'à maintenant ces choses-là ne nous soient pas arrivées.

La semaine qui suivit, Papa apprit en ville que les corps de l'enfant et des mulets avaient été découverts le lendemain; tous leurs os étaient brisés. L'enfant avait eu ses vêtements arrachés et les mulets, leur harnais. Jamais on ne retrouva le moindre bout de vêtement, ni la moindre pièce de harnais.

CHAPITRE 30

COUCHER DE SOLEIL
SUR LA COLLINE

Laura renonça à sa promenade en boghei ce dimanche-là, car c'était le dernier jour que Marie passait à la maison avant de repartir pour le collège.

Il faisait une telle chaleur qu'au petit déjeuner Maman déclara qu'elle ne pensait pas aller à l'église. Carrie et Grace resteraient à la maison avec elle, tandis que Laura et Marie iraient avec Papa, dans le chariot. Lorsqu'elles sortirent de la chambre, prêtes à partir, Papa les attendait.

Cette fois encore, Laura portait sa robe de linon rose tendre à petites fleurs et son nouveau chapeau à plumes d'autruche, lesquelles étaient à présent cousues comme il faut.

La robe de Marie était en linon bleu, rebrodée çà et là de petites fleurs blanches, et son chapeau était un canotier de paille claire entouré d'un ruban bleu. Une large torsade d'or couvrait sa nuque, et une frange dorée, toute bouclée, couvrait son front, au-dessus de ses yeux aussi bleus que le bleu de ses rubans.

Papa les regarda pendant un moment, puis, les yeux brillants, la voix fière, il s'exclama, jouant la consternation :

— Grand Dieu, Caroline! je ne suis pas assez chic pour chaperonner deux aussi ravissantes jeunes dames à l'église!

Il était bien beau lui aussi avec son complet sombre à col de velours noir, avec sa chemise blanche et sa cravate bleu nuit.

Le chariot attendait. Avant de s'habiller, Papa avait étrillé, brossé les deux chevaux de labour et étalé une couverture propre sur le siège. Papa prit soin d'aider Marie à enjamber la roue pour monter derrière l'attelage somnolent, puis tendit sa main à Laura. Elles étendirent la légère couverture de toile sur leurs genoux et, avec précaution, Laura la borda comme il faut sous sa jupe de linon à plis amplement froncée. Puis, sous le soleil et le souffle chaud du vent, ils s'en furent lentement à l'église.

Il y avait tant de monde ce jour-là, qu'il leur fut impossible de trouver trois places libres côte à côte. Papa alla donc s'asseoir dans le chœur avec les anciens, alors que Laura et Marie s'asseyaient l'une à côté de l'autre, vers le milieu de l'église. Le révérend Brown prêchait d'un ton plein d'ardeur. Si seulement, pensait Laura en le voyant animé d'une telle ferveur, il pouvait dire quelque chose d'intéressant! Lorsque, soudain, elle aperçut un petit chaton rondelet se fourvoyer en haut de l'allée centrale. Elle le regardait distraitement tandis qu'il caracolait et bondissait sur une proie imaginaire et le vit enfin s'aventurer sur l'estrade, où il alla faire le dos rond et se frotter contre l'un des côtés de la chaire.

C'est alors qu'un petit chien passa à côté d'elle dans l'allée, trottant allègrement. C'était un petit chien noir et feu, aux pattes minces et à la queue courte et effrontée. Ce trot pressé de personnage affairé lui était naturel; il ne cherchait personne, n'allait nulle part, et ne faisait autre chose que visiter l'église, quand, tout à coup il aperçut le chat. Il se raidit un instant, puis dans une explosion de glapissements, bondit.

Le chaton arqua le dos, gonfla la queue et, en un éclair, s'éclipsa hors de la vue de Laura.

Chose curieuse, il semblait avoir totalement

disparu. Il n'y avait point de poursuite, le petit chien demeurait silencieux et le révérend Brown continuait son sermon. Laura commençait tout juste à s'interroger, quand elle sentit sa crinoline osciller légèrement. Baissant alors les yeux, elle vit le bout de la queue du chaton disparaître sous le volant de linon rose.

Réfugié sous sa crinoline, il commençait à présent à grimper, s'accrochant et s'agrippant à chacun des cerceaux. Laura fut prise d'une brusque envie de rire, mais la réprima et demeura sérieuse comme un évêque. Le petit chien passa alors, inquiet, flaireur, le regard scrutateur, à la recherche de l'ennemi. A la soudaine vision de ce qu'il arriverait s'il le découvrait, Laura fut secouée de la tête aux pieds d'un rire contenu.

Elle sentait ses côtes s'enfler contre les baleines de son corset, ses joues gonfler, sa gorge se crisper. Marie, qui ignorait ce qui amusait Laura mais se rendait compte qu'elle riait, la poussa du coude en murmurant :

— Tiens-toi un peu !

Laura n'en fut que plus secouée de rire et se sentit devenir cramoisie. La crinoline continuait d'osciller sous sa jupe, tandis que le chaton en redescendait avec prudence. Il risqua un œil de dessous le volant rose, laissant pointer son nez moustachu et, ne voyant nulle trace du chien, sortit d'un bond et gagna la porte au plus vite. Laura écouta un moment, et n'entendant aucun jappement, comprit qu'il avait échappé au danger.

Sur le chemin du retour, Marie lui fit cette observation :

— Je n'aurais pas cru cela de toi, Laura! Tu n'apprendras donc jamais à te tenir correctement à l'église?

Laura riait aux larmes, cependant que Marie continuait à lui reprocher sa conduite et que Papa cherchait à savoir ce qui s'était passé.

— Non, Marie, je ne saurai jamais me tenir, dit enfin Laura en s'essuyant les yeux. Tu ferais tout aussi bien de me considérer comme un cas irrécupérable.

Elle leur conta alors l'anecdote, et Marie elle-même fut obligée d'en sourire.

Le déjeuner et l'après-midi se passèrent calmement, à converser en famille. Comme le soleil baissait, Laura et Marie partirent ensemble faire leur dernière promenade jusqu'au sommet de la petite colline, pour voir le coucher du soleil.

— Jamais je ne vois les choses aussi bien avec quelqu'un d'autre que toi, remarqua Marie, et quand je reviendrai, tu ne seras plus là.

— Non, mais tu viendras me voir là où j'habiterai. Tu n'auras plus une seule maison où aller, mais deux

— Mais ces couchers de soleil... commença Marie.

Laura l'interrompit :

— Le soleil se couchera aussi à la ferme d'Almanzo, je l'espère, dit-elle en riant. Il n'y a pas de petite colline là-bas, mais il y a quatre hectares entiers de petits arbres. Nous nous promènerons au milieu d'eux, et tu les verras. Il y a des peupliers, bien sûr, mais aussi des négundos, des érables et des saules. S'ils ne meurent pas, cela fera une jolie futaie, pas seulement un rideau d'arbres comme chez Papa, mais une véritable petite forêt.

— Ce sera bizarre de voir ces prairies boisées, dit Marie.

— Tout change, dit Laura.

— Oui.

Elles se turent un petit moment, puis Marie reprit :

— J'aimerais bien assister à ton mariage. Tu n'as pas envie de le remettre au mois de juin prochain?

Laura répondit posément :

— Non, Marie. J'ai dix-huit ans, maintenant, et j'ai fait la classe durant trois trimestres, un de plus que ne l'avait fait Maman. Je n'ai plus envie d'enseigner, j'ai envie d'être installée dès cet hiver dans notre propre maison. De toute façon, il n'y aura que la cérémonie religieuse, ajouta-t-elle. Papa ne pourrait pas faire les frais d'une réception, et je ne voudrais pas que les gens fassent des dépenses. Quand tu reviendras, l'été prochain, ma maison sera toute prête, pour que tu viennes y séjourner.

— Laura, dit Marie avec gêne, je suis désolée pour l'orgue. Si j'avais su... mais j'avais envie aussi de voir où habitait Blanche, ce n'était pas loin, et cela économisait à Papa le prix de mon voyage en train. Et puis, je ne réalisais pas que quelque chose puisse jamais changer chez nous, j'avais l'impression que ce serait toujours pareil, que je pourrais toujours y revenir.

— Mais, c'est le cas, Marie, lui dit Laura, et n'aie pas de remords à propos de l'orgue. Souviens-toi seulement des jours agréables passés chez Blanche. Je suis contente que tu y sois allée, je t'assure, et Maman aussi; elle l'avait dit.

— Vraiment? s'écria Marie, et son visage s'illumina.

Laura lui raconta alors ce qu'avait dit Maman : qu'elle était contente que Marie pût avoir de bons moments durant sa jeunesse, dont elle pourrait se souvenir. Le soleil plongeait à présent à l'horizon. Laura décrivit comment son éclat d'or et de pourpre enflammait le ciel, puis s'estompait du rose au gris.

— Rentrons, maintenant, dit Marie, je sens qu'il fait plus frais.

Elles restèrent un moment encore, main dans la main, face à l'ouest, puis descendirent lentement la pente qui longeait l'écurie.

— Comme le temps passe vite, maintenant! dit Marie. Tu te souviens, quand l'hiver était si long et que nous avions l'impression que l'été ne viendrait jamais. Et pendant l'été, l'hiver était si loin qu'on oubliait presque ce qu'il était.

— Oui, et quels bons moments nous avons connus quand nous étions petites! répondit Laura. Mais peut-être que les temps à venir seront encore meilleurs, on ne sait jamais.

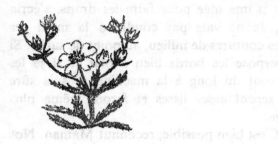

CHAPITRE 31

PROJETS DE MARIAGE

Comme toujours, le départ de Marie laissait un vide dans la maison. Le lendemain matin, Maman dit avec entrain :

— Nous allons nous mettre à notre couture dès maintenant, Laura. Il n'y a rien de tel qu'occuper ses mains à quelque chose pour chasser l'ennui.

Laura apporta donc les deux pièces de calicot, Maman les découpa, et bientôt, le petit salon aux fenêtres ouvertes retentit du ronflement de la machine et du gai bavardage de Maman et

Laura qui, ensemble, s'affairaient à coudre.

— J'ai une idée pour faire les draps, s'écria Laura. Je ne vais pas coudre à la main ces grandes coutures de milieu, au point de surjet. Si je superpose les bords bien à plat et si je les pique tout du long à la machine, je suis sûre qu'ils seront assez lisses et feront même plus d'usage.

— C'est bien possible, reconnut Maman. Nos grand-mères se retourneraient dans leurs tombes, mais après tout, ce sont les temps modernes.

Tout le blanc fut rapidement fait à la machine. Laura sortit ensuite les dizaines de mètres de dentelle de fil blanc qu'elle avait tricotée et crochetée et, comme par enchantement, l'aiguille, rapide comme l'éclair, piqua les passements de dentelle aux extrémités des taies de traversin, aux cols et aux poignets des chemises de nuit montantes à longues manches, aux encolures et aux emmanchures des chemises et aux jambes des pantalons.

Tout en s'activant aux travaux de lingerie, toutes deux discutaient des robes de Laura.

— Ma robe de popeline de soie à jour est comme neuve, dit Laura, quant à celle de linon rose imprimé, elle *est* neuve ; qu'ai-je besoin de plus ?

— Il te faut une robe noire, répondit Maman

d'un t*n catégorique. Je trouve que toute femme devrait avoir une jolie robe noire. Nous ferions bien d'aller en ville samedi acheter le tissu. Je crois qu'il faut prendre du cachemire. Le cachemire résiste bien à l'usure, et c'est seyant en toute circonstance, mis à part les jours de grosse chaleur. Et quand nous en aurons fini avec celle-là, il faudra que tu trouves quelque chose de joli pour ton mariage.

— Nous aurons tout le temps, répondit Laura.

Dans la fièvre des travaux de l'été, Almanzo disposait de peu de temps pour travailler à la construction de la maison. Il avait emmené Maman et Laura, un dimanche, voir ce qui n'était encore que la charpente du futur logis. Elle se dressait auprès des tas de bois, en retrait de la route, derrière la plantation de petits arbres.

Trois pièces étaient prévues, la pièce principale, une chambre à coucher et une dépense avec, en outre, un appentis qui abriterait la porte donnant à l'arrière de la maison. Mais maintenant que Laura avait vu comment celles-ci étaient conçues, il ne l'emmenait plus voir la maison.

— Laissez-moi faire, disait-il, elle aura son toit avant que la neige ne tombe.

Aussi faisaient-ils leurs longues promenades

jusqu'aux lacs jumeaux ou au lac Spirit et au-delà.

Le lundi matin, Maman déplia le coupon de cachemire anthracite, et, disposant avec soin toutes les pièces du patron en papier journal sur l'étoffe, de façon à n'en point gâcher, coupa sans hésitation à l'aide de ses grands ciseaux. Elle découpa et épingla ensemble tous les lés de la jupe, les pièces du corsage et les manches. Après le déjeuner, la machine fut équipée de fil noir et mise en marche.

Tard dans l'après-midi, elle ronronnait toujours, et Laura était occupée à doubler de percale les différentes pièces de cachemire, quand, levant les yeux de son ouvrage, elle aperçut Almanzo qui venait à la maison. Il s'était produit quelque chose, à n'en pas douter, sans quoi il ne viendrait pas un lundi. Elle s'empressa d'aller ouvrir.

— Venez faire une petite promenade, dit-il. Je veux vous parler.

Laura mit sa capeline et le suivit.

— Que se passe-t-il? demanda-t-elle, cependant que Skip et Barnum partaient au trot.

— Voilà, dit-il d'un ton sérieux, est-ce que vous voulez un grand mariage?

Elle le regarda, stupéfaite qu'il fût exprès venu lui demander cela, alors qu'ils devaient se voir le dimanche suivant.

— Pourquoi me posez-vous cette question?

— Si vous ne voulez pas d'un grand mariage, seriez-vous disposée et pourriez-vous être prête à ce que l'on se marie en fin de semaine ou au début de la semaine prochaine? demanda-t-il d'un ton plus pressant encore. Ne répondez pas avant que je vous aie dit pourquoi. L'hiver dernier, quand j'étais dans le Minnesota, ma sœur Eliza s'est mis en tête qu'il fallait que nous ayons un grand mariage religieux. Je lui ai dit que nous n'en voulions pas et qu'elle renonce à ce projet. Ce matin j'ai reçu une lettre, et manifestement, elle n'a pas changé d'avis. Elle va venir ici avec ma mère pour prendre en main l'organisation de notre mariage.

— Oh, *non!* s'écria Laura.

— Vous connaissez Eliza, poursuivit Almanzo, elle est têtue, et elle a toujours aimé commander, mais je pourrais y mettre le holà, s'il ne s'agissait que d'elle. Ma mère est différente, elle ressemble davantage à la vôtre, vous verrez, elle vous plaira. Mais Eliza a si bien fait que Mère a pris ça très à cœur, et si elles arrivent avant que nous soyons mariés, je ne vois pas comment je pourrai dire « non » à Mère. Je n'ai pas envie de ce genre de mariage et je n'en ai pas les moyens. Qu'en pensez-vous?

Il y eut un petit temps de silence tandis que Laura réfléchissait, puis elle dit calmement :

— Papa ne peut pas se permettre de m'offrir ce genre de mariage, lui non plus. J'aimerais avoir un peu plus de temps pour que mes affaires soient faites. Si nous nous marions aussi vite, je n'aurai pas de robe de mariée.

— Portez celle que vous avez sur vous, elle est jolie, conseilla vivement Almanzo.

— C'est une robe de travail en calicot, je ne peux pas mettre ça! répondit Laura en riant.

Puis reprenant son sérieux, elle ajouta :

— Mais Maman et moi, nous sommes en train d'en faire une que je pourrais porter.

— Alors, êtes-vous d'accord pour, disons, samedi?

Laura se tut à nouveau, et rassemblant tout son courage, dit enfin :

— Almanzo, je dois vous demander quelque chose. Est-ce que vous voulez que je promette de vous obéir?

Il répondit sobrement :

— Bien sûr que non, je sais que cela fait partie de la cérémonie du mariage, mais c'est simplement quelque chose que les femmes disent. Je n'en ai jamais connu une seule qui le fasse, ni aucun homme digne de ce nom qui le veuille.

— Eh bien, moi je ne prononcerai pas ces mots-là, dit Laura.

— Etes-vous pour les droits de la femme, comme Eliza? demanda-t-il, surpris.

— Non, je ne tiens pas à voter; mais je ne peux pas faire une promesse que je ne tiendrai pas, et, vous savez Almanzo, même si j'essayais, je ne crois pas que je pourrais obéir à qui que ce soit, envers et contre mes propres idées.

— Jamais je n'exigerais cela de vous, lui dit-il, et il n'y aura aucun problème quant à la cérémonie, car le révérend Brown n'est pas partisan d'employer le mot obéir.

— Il n'est pas pour! Etes-vous sûr?

Jamais Laura n'avait été si surprise ni, à la fois, si soulagée.

— C'est un sujet qui lui tient très à cœur. Je l'ai entendu raisonner là-dessus pendant des heures et citer des textes de la Bible qui

s'opposaient à saint Paul. Vous savez que c'est un cousin de John Brown, du Kansas, et il a pas mal en commun avec lui. Alors, ça ira? Samedi ou le début de la semaine prochaine?

— Oui, si c'est le seul moyen d'échapper à un grand mariage, déclara Laura. Je serai prête pour samedi ou pour le début de la semaine prochaine, comme vous voulez.

— Si je peux arriver à terminer la maison, nous dirons, la fin de la semaine, et sinon, il faudra attendre la semaine prochaine, dit-il après réflexion. Disons que quand la maison sera finie, nous irons tout simplement chez le révérend Brown pour recevoir la bénédiction tranquillement, sans faire de tralala. Je vais vous ramener maintenant, et j'aurai peut-être encore le temps ce soir de faire quelques petites bricoles pour la maison.

Une fois rentrée, Laura hésita à parler de leur projet. Elle avait le sentiment que Maman trouverait cette précipitation inconvenante. Elle allait peut-être dire : « Tel se marie à la hâte qui s'en repent à loisir. » Pourtant, ce n'était pas vraiment un mariage précipité ; ils sortaient ensemble depuis trois ans.

Ce ne fut qu'à l'heure du dîner que Laura trouva le courage d'annoncer qu'Almanzo et elle envisageaient de se marier aussi rapidement.

— Mais nous n'arriverons jamais à te faire une robe de mariée d'ici là, objecta Maman.

— Nous pouvons terminer la robe de cachemire noir, et je mettrai ça, répondit Laura.

— L'idée de te voir te marier en noir ne me plaît guère, reprit Maman. Tu sais ce qu'on dit : « Qui se marie en noir souhaitera sa famille revoir. »

— Ce sera une robe neuve. Je mettrai ma capote vert cendré, doublée de soie bleue, et je t'emprunterai ta broche carrée en or avec la fraise, et comme ça, je porterai du vieux et de la nouveauté, du bleu et de l'emprunté ! dit Laura gaiement.

— En fait, je ne crois pas qu'il y ait quoi que ce soit de vrai dans ces vieux dictons, admit Maman.

Papa intervint :

— Je pense que c'est la chose raisonnable à faire. Vous faites preuve de jugement, Almanzo et toi.

Maman n'était cependant pas totalement satisfaite.

— Il n'y a qu'à faire venir le révérend Brown ici. Tu peux te marier à la maison, Laura. Nous pouvons faire ici une gentille petite noce.

— Non, Maman, ce ne serait pas correct de faire quelque noce que ce soit sans attendre que la mère d'Almanzo soit là.

— Laura a raison, dit Papa, et tu penses comme elle, Caroline.

— Bien sûr que je pense comme elle, admit Maman.

CHAPITRE 32

PRÉPARATIFS EN HÂTE

Carrie et Grace offrirent avec empressement de faire toutes les tâches ménagères, afin que Maman et Laura pussent terminer la robe de cachemire, si bien que ces deux dernières passèrent toute la semaine à coudre aussi vite que possible.

Elles firent un corsage très ajusté, doublé de percale noire, avec une basque baleinée le long de chacune des coutures et découpée en pointe sur le devant et à l'arrière. Il avait un haut col officier et de longues manches droites, joliment

montées, doublées elles aussi, légèrement bouf-
fantes au niveau des épaules, mais resserrées aux
poignets. Autour des emmanchures, un bouillonné donnait une plénitude gracieuse à la
poitrine, laquelle était soutenue par des pinces,
et des petits boutons ronds, de couleur noire, le
fermaient sur tout le devant.

La jupe, bien arrondie, effleurait le sol. Elle
était entièrement doublée de percale et, des
genoux jusqu'à hauteur des bottines de Laura,
d'une bande de crinoline. Travaillée en forme
princesse, elle prenait légèrement les hanches
puis s'évasait et godait amplement dans le bas.
Laura rentra les bords coupés des deux doublures
et de l'étoffe de cachemire, et y posa un extra-
fort qu'elle ourla des deux côtés à la main
rendant les points invisibles sur l'endroit.

Il n'y eut pas de promenade ce dimanche-là.
Almanzo ne fit que passer, en vêtements de
travail, pour dire qu'il violait le sabbat en
travaillant après la maison. Elle serait finie, dit-
il, d'ici le mercredi, si bien qu'ils pourraient se
marier le jeudi. Il viendrait chercher Laura le
matin, à dix heures, car le révérend Brown
devait s'en aller au train de onze heures.

— Alors, si vous arrivez à trouver le temps,
mieux vaudrait venir le mercredi avec le chariot,
pour prendre les affaires de Laura, lui conseilla
Papa.

Almanzo déclara qu'il viendrait; ainsi tout était décidé, et il s'éloigna rapidement en adressant un sourire à Laura.

Le mardi matin, Papa partit en chariot à la ville; il revint à midi, rapportant une malle toute neuve dont il fit présent à Laura.

— Il vaut mieux que tu mettes tes choses dedans, dès aujourd'hui, suggéra-t-il.

L'après-midi même, Laura fit sa malle avec l'aide de Maman. Tout au fond, elles y mirent sa vieille poupée en chiffons, avec tous ses effets emballés dans une boîte en carton. Elles y étalèrent ensuite les vêtements d'hiver de Laura, puis ses draps, taies de traversin et serviettes, sa lingerie neuve, ses robes de calicot et sa robe de popeline de soie marron. Sa robe de linon fut déposée avec soin, sur le dessus, afin de ne pas être froissée. Laura rangea son chapeau à plumes d'autruche dans la boîte à chapeau de la malle, puis dans le second casier peu profond, ses crochets, aiguilles à tricoter, et ses fils de laine peignée.

Carrie prit sur l'étagère d'angle la boîte en verre de Laura et la lui rapporta en disant :

— Je sais que tu as envie de l'emporter.

Laura la tint un moment dans sa main, indécise.

— Ça me fait de la peine de l'ôter d'à côté de celle de Marie, on ne devrait pas les séparer, murmura-t-elle d'un ton rêveur.

— Regarde, j'ai rapproché la mienne de celle de Marie, lui dit Carrie, comme ça elle n'a pas l'air perdue.

Laura déposa donc sa boîte, avec précaution, dans le casier de la malle, au milieu des doux écheveaux de laine, où elle ne risquait point d'être cassée.

Maman étendit ensuite un vieux drap propre en travers du lit.

— Tu auras besoin de ta courtepointe, dit-elle.

Laura apporta la courtepointe matelassée qu'elle avait confectionnée étant enfant, alors que Marie en faisait une de neuf pièces. Elle avait été précieusement gardée depuis lors. Maman la posa, pliée, sur le drap et mit par-dessus deux grands oreillers bien rembourrés.

— Je tiens à ce que tu les aies, Laura, car tu m'as aidée à mettre les plumes de côté, quand Papa rapportait les oies sauvages qu'il chassait sur les rives du lac d'Argent. Ils sont comme neufs et c'est pour toi que je les ai gardés. Cette nappe à carreaux rouges et blancs est la même que celles que j'ai toujours eues; j'ai pensé que, si tu la voyais sur ta table, ton nouveau logis te paraîtrait peut-être plus intime.

Maman plaça la nappe, encore enveloppée dans son papier d'emballage, sur l'oreiller, puis elle replia les quatre coins du drap par-dessus le tout et en fit un nœud serré.

— Voilà, comme ça, cela ne prendra pas la poussière.

Almanzo vint le lendemain avec Skip et Barnum attelés au chariot. Papa et lui chargèrent la malle et le ballot de literie à l'arrière, dans la caisse.

Papa dit alors :

— Attendez une minute, ne vous sauvez pas, je reviens tout de suite.

Et il rentra dans la maison.

Tous restèrent un instant ou deux à parler, à côté du chariot, en attendant de le voir ressortir.

Mais il apparut à l'angle de la maison, tenant la génisse préférée de Laura au bout d'une longe. Elle était docile et, partout, de la même couleur fauve. Papa l'attacha, sans rien dire, derrière le chariot, puis jeta son piquet d'attache dans la caisse tout en lançant gaiement :

— Et ça, ça part avec elle!

— Oh, Papa! s'écria Laura, tu veux vraiment dire que je peux emmener Fawn avec moi?

— C'est exactement ce que je veux dire! Ce

serait tout de même malheureux que tu ne puisses pas en avoir une, avec tous les veaux que tu m'as aidé à élever.

Laura resta sans voix, mais elle adressa à Papa un regard qui à lui seul était un merci.

— Vous croyez que c'est prudent de l'attacher derrière ces chevaux-là? s'inquiéta Maman.

Almanzo lui assura qu'il n'y avait aucun risque et dit à Papa combien il appréciait son cadeau, puis, se tournant vers Laura, il lui rappela :

— Je serai là demain à dix heures.

— Je serai prête, promit Laura.

Mais tandis qu'elle le regardait s'éloigner avec le chariot, elle n'arrivait pas à réaliser que, le lendemain, elle quitterait la maison. Elle avait beau essayer, elle ne parvenait pas à croire que les mots, « je pars demain », signifiaient qu'elle ne reviendrait plus comme elle l'avait toujours fait, après ses promenades avec Almanzo.

L'après-midi, elles repassèrent avec soin la robe de cachemire noir, qui était terminée, puis Maman fit un énorme gâteau glacé. Laura l'aida en battant les blancs en neige avec une fourchette, dans une assiette, et ne s'arrêta que lorsque Maman jugea qu'ils étaient assez fermes.

— Mon bras l'est encore plus, dit Laura avec un petit rire triste, tout en frottant son bras droit endolori.

— Il faut que ce gâteau soit juste à point, insista Maman. Si tu ne peux pas avoir d'invités à ton mariage, tu auras au moins un repas de fête à la maison et un gâteau de noces.

Le soir, après le dîner, Laura apporta à Papa son violon et demanda :

— S'il te plaît, Papa, joue quelque chose.

Papa sortit le violon de son étui. Il fut un long moment à l'accorder, puis dut passer délicatement de la colophane sur l'archet. Enfin, il prit celui-ci, le tint au-dessus des cordes, s'éclaircit la voix et demanda :

— Que veux-tu que je joue, Laura?

— Joue d'abord pour Marie et, ensuite, joue tous les vieux airs, les uns après les autres, aussi longtemps que tu pourras.

Tout en écoutant « Highland Mary », Laura s'assit sur le seuil de la porte, devant Papa et Maman qui contemplaient la prairie au-dehors. Puis, tandis que le soleil baissait, Papa joua tous les vieux airs qu'elle connaissait depuis sa plus tendre enfance.

Le soleil disparut à l'horizon, traînant après lui des bandeaux de pourpre. Les couleurs s'évanouirent, la terre se couvrit d'ombres, la première étoile scintilla au ciel. Carrie et Grace vinrent à pas légers se blottir contre Maman, et le violon poursuivit son chant au dernier rayon du crépuscule.

Il chanta les chansons que Laura connaissait du temps où ils vivaient dans les Grands Bois du Wisconsin, les airs que Papa avait joués le soir, autour des feux de camp, à travers les plaines du Kansas. Il redit le chant du rossignol, au clair de lune, sur les bords de la rivière Verdigris, puis évoqua les jours vécus sur les berges du ruisseau Plum et les soirées d'hiver dans la maison que Papa avait construite là-bas. Il chanta le Noël sur les rives du lac d'Argent et le printemps, après le long Hiver Sans Fin.

La voix du violon se fit plus douce, et Papa mêla sa voix grave à la sienne :

« *Du temps des jours anciens et chers, à jamais disparus,*
Quand sur le monde les premières brumes eurent paru,
Surgi des songes qui, en nombre, s'élevaient joyeux,
L'amour chuchotait à nos cœurs un chant mélodieux.
Quand la dernière flamme sombrait dans les ténèbres,
Doucement il se mêlait à nos rêves.

Un simple chant au crépuscule, quand les lumières s'éteignent,
Quand les ombres mouvantes doucement vont et viennent,

Quoique le cœur fût las, long et triste le jour,
Au crépuscule nous revient le vieux chant
d'amour,
Nous revient toujours le vieux chant d'amour.

Même aujourd'hui, nous l'entendons ce chant
d'amour d'antan,
Du plus profond des cœurs, il monte tout autant.
Les pas peuvent faiblir, le chemin devenir lourd,
Nous l'entendons encore à la tombée du jour,
Ainsi jusqu'à la fin, jusqu'à l'hiver de notre vie,
L'amour sera pour nous le plus doux chant qui
existe. »

CHAPITRE 33

LA PETITE MAISON GRISE
DANS L'OUEST

Laura était prête lorsque Almanzo vint la chercher. Elle portait sa nouvelle robe de cachemire noir et sa capote vert cendré, doublée de soie bleue, dont elle avait noué les rubans sur le côté. Les bouts noirs et lisses de ses bottines pointaient à peine de dessous les larges godets de sa jupe, quand elle marchait.

Maman lui avait elle-même épinglé sa broche carrée en or, sertie d'une fraise, à la base du cou, sur le passement de dentelle blanche qui terminait le col de la robe.

384

— Voilà! fit Maman, ta robe a beau être noire, tu es magnifique.

Papa ajouta d'une voix rauque :

— Tu es bien comme ça, ma petite Pinte.

Carrie apporta un joli mouchoir blanc, bordé d'une dentelle assortie à celle qui garnissait le col de la robe.

— Je l'ai fait spécialement pour toi; ça fait joli, quand tu le tiens à la main, sur le noir de la jupe.

Grace se contentait d'être tout près et d'admirer. Puis, Almanzo arriva, et tous restèrent sur le pas de la porte à les regarder partir.

— Le révérend Brown sait-il que nous venons? demanda Laura.

— Je l'ai vu quand je suis rentré l'autre jour, répondit Almanzo. Il ne prononcera pas le mot « obéir ».

Mme Brown ouvrit la porte du salon. Elle dit d'une voix émue qu'elle allait appeler M. Brown et les pria de s'asseoir. Puis elle disparut dans la chambre en refermant la porte derrière elle.

Laura et Almanzo étaient assis à attendre. Une table à plateau de marbre se dressait au milieu de la pièce, sur un tapis fait de bandelettes de tissu travaillées au crochet. Au mur, était accrochée une importante gravure en couleur, représentant une femme agrippée à une croix blanche plantée sur un roc, tandis que des éclairs sillonnaient le ciel et que des vagues gigantesques se déchaînaient autour d'elle.

La porte de la seconde chambre s'ouvrit; Ida entra discrètement et prit place sur une chaise à proximité. Elle adressa un timide sourire à Laura et garda les yeux baissés sur le mouchoir qu'elle tordait entre ses doigts, sur ses genoux.

La porte de la cuisine s'ouvrit ensuite, et un grand jeune homme mince alla se glisser sans bruit sur une chaise. Laura supposa qu'il s'agissait d'Elmer, mais n'eut pas le temps de le voir, car déjà le révérend Brown sortait de la chambre, enfilant à la hâte ses bras dans les manches de sa redingote. Il ajusta son col, puis demanda à Laura et Almanzo de se lever et se tenir debout devant lui.

Ainsi ils étaient mariés.

Le révérend Brown, Mme Brown et Elmer leur donnèrent une poignée de main, puis Almanzo remit discrètement un billet au révérend Brown. Celui-ci le déplia, sans comprendre tout d'abord qu'Almanzo lui donnait en effet tous ces dix dollars. Ida serra affectueusement la main de Laura, essaya de parler, mais en fut incapable. Elle embrassa rapidement la joue de Laura, lui glissa dans la main un petit paquet tout doux, puis quitta la pièce en courant.

Laura et Almanzo ressortirent au soleil et au vent. Il l'aida à monter dans le boghei, détacha

les chevaux, et ensemble ils regagnèrent la maison en passant par la ville. Le déjeuner était prêt lorsqu'ils arrivèrent. Maman et les filles avaient transporté la table dans le petit salon et l'avaient installée entre la porte et les fenêtres, ouvertes sur la prairie. Elles y avaient mis la plus jolie nappe qu'il y eût dans la maison et les plus jolies assiettes. Les cuillers d'argent brillaient, dressées dans le porte-couverts, au milieu de la table, et les fourchettes en acier avaient été si bien polies qu'elles reluisaient tout autant.

Comme Laura, saisie de timidité, hésitait à entrer, Carrie demanda :

— Qu'est-ce que c'est que tu as dans la main?

Laura baissa les yeux et vit qu'elle tenait, avec le mouchoir de Carrie, le petit paquet qu'Ida lui avait offert.

— Mais, je ne sais pas, c'est Ida qui me l'a donné.

Elle ouvrit l'enveloppe de papier de soie et déplia la plus jolie pièce de dentelle qu'elle eût jamais vue. C'était un fichu en dentelle de soie blanche, avec un motif de fleurs et de feuilles ravissantes.

— Cela te fera toute la vie, lui dit Maman.

Laura savait au fond de son cœur que, sa vie durant, elle conserverait précieusement cette superbe parure que lui avait donnée Ida.

Puis Almanzo revint d'avoir logé les chevaux à l'écurie, et tous prirent place à table.

C'était l'un de ces délicieux repas que savait faire Maman, mais pour Laura, tous les mets semblaient avoir la même saveur. Le gâteau de noce lui-même prenait un goût de cendre dans sa bouche, car elle réalisait seulement qu'elle allait quitter la maison, que jamais plus elle n'y reviendrait pour y demeurer. Ils s'attardaient tous à la table, sachant qu'une fois le repas terminé, viendrait le moment des adieux. Mais Almanzo finit par dire qu'il était temps de partir.

Laura remit sa capote et sortit à la rencontre du boghei qu'Almanzo avançait devant la porte. Il y eut des baisers d'adieu et des vœux de bonheur, cependant qu'il se tenait prêt à aider Laura à monter dans le boghei. Mais Papa prit la main de Laura :

— Dorénavant, c'est vous qui l'aiderez, jeune homme, dit-il à Almanzo, mais cette fois, c'est moi.

Maman apporta un panier couvert d'un linge blanc.

— Voici un petit quelque chose pour compléter votre dîner, dit-elle, les lèvres tremblantes. Reviens bientôt nous voir, Laura.

Au moment où Almanzo levait les guides, Grace accourut, tenant à la main la vieille capeline de Laura.

— Tu as oublié ça! s'écria-t-elle en la tenant à bout de bras.

Almanzo retint les chevaux pendant que Laura prenait sa capeline, et comme ils repartaient, Grace leur cria encore d'une voix inquiète :

— Laura, rappelle-toi ce que dit Maman, si tu ne gardes pas ta capeline sur la tête, tu vas être aussi brune qu'un Indien!

Ainsi, le départ d'Almanzo et de Laura se fit au milieu des rires.

Ils prirent la route qu'ils avaient empruntée tant de fois, coupant à la pointe du Grand Marais, tournant à l'angle des écuries de louages des Pearson, remontant toute la Grand-Rue jusqu'au-delà de la voie ferrée pour suivre ensuite la route de la prairie qui menait à la nouvelle maison construite sur la concession boisée d'Almanzo.

Ce fut un trajet silencieux presque jusqu'à la fin, quand, pour la première fois de la journée, Laura remarqua les chevaux.

— Mais, ce sont Prince et Lady!

— Prince et Lady sont à l'origine de tout cela, lui répondit Almanzo, c'est pourquoi j'ai pensé qu'ils seraient contents de nous emmener chez nous, et nous y voici.

Une sorte d'allée, dessinée par les traces du chariot et les roues du boghei, s'engageait, décrivant un demi-cercle parfait, dans le bosquet de petits arbres, devant la maison. Celle-ci apparut toute garnie d'un lattis soigneusement posé, et joliment peinte d'un ton gris à peine soutenu. La porte d'entrée, campée bien au milieu, et les deux fenêtres donnaient à toute la maison un aspect souriant.

Un gros chien de berger à poils bruns était allongé sur le seuil. Il se leva comme le boghei s'arrêtait devant la porte, et, poliment, remua la queue à l'adresse de Laura.

— Salut, Shep! lança Almanzo.

Il aida Laura à descendre du boghei, puis tourna la clef dans la serrure.

— Entrez pendant que je vais mettre les chevaux à l'écurie, lui dit-il.

Laura se tint un moment dans l'embrasure de la porte à regarder. Il y avait là la grande salle de séjour, dont les murs avaient été soigneusement enduits de plâtre blanc. Tout au fond, à côté d'une porte fermée, se dressait une table à abattant, recouverte de la nappe à carreaux rouges de Maman, avec une chaise posée bien droite à chacun des bouts.

A la gauche de Laura, deux fauteuils à bascule, placés face à face en aimable compagnie, encadraient une large fenêtre qui, découpée au centre du long mur, laissait entrer le soleil du midi. Une petite table ronde était installée auprès du fauteuil le plus proche d'elle, sur laquelle donnait une suspension accrochée au plafond. Quelqu'un pouvait s'asseoir là, le soir, et lire un journal, tandis que quelqu'un pouvait tricoter dans l'autre fauteuil.

La fenêtre située à la droite de la porte laissait plus encore pénétrer la lumière du soleil dans cette agréable pièce.

Laura ouvrit l'une des deux portes aménagées dans le mur, face à l'entrée, et découvrit la chambre à coucher. Sa courtepointe matelassée était étalée sur le grand lit, à la tête duquel étaient posés ses deux oreillers de plumes, bien rebondis. Au pied du lit, une large étagère, plus haute que Laura, courait tout le long de la cloison, dissimulée derrière un rideau de calicot joliment fleuri; cela faisait une penderie idéale. La malle de Laura était posée contre le mur, sous la fenêtre.

Elle avait fait ce tour d'horizon rapidement. Elle ôta sa capote, la posa sur l'étagère, puis sortit de sa malle une robe de calicot et un tablier. Après avoir enlevé sa robe de cachemire noir, qu'elle suspendit avec soin dans la penderie, elle enfila sa robe de calicot bleu et noua par-dessus son tablier rose plissé tout bien repassé. Elle retourna dans la salle de séjour à l'instant même où Almanzo y entrait, venant de la porte située auprès de la table à abattant.

— Prête à travailler, à ce que je vois! dit gaiement Almanzo, en posant le panier de Maman sur la chaise à côté de lui.

— Je ferais peut-être bien de me mettre en

tenue de travail, moi aussi, ajouta-t-il, et, se retournant à la porte de la chambre, dit encore :

— C'est votre Maman qui m'a demandé d'arranger toutes vos choses.

— Je suis contente que vous l'ayez fait, le rassura Laura.

Laura regarda par la porte, près de la table, et vit l'appentis. Là se trouvait le fourneau de cuisine d'Almanzo, avec, accrochés au mur, des casseroles et des poêles à frire. Il y avait une fenêtre et une porte de service, laquelle donnait sur l'écurie bâtie au-delà de quelques petits arbres.

Laura regagna la pièce principale, prit le panier de Maman et ouvrit la dernière porte, sachant que ce devait être celle de la dépense ; mais elle resta stupéfaite, puis ravie, de voir combien celle-ci était judicieusement aménagée. L'un des murs était entièrement garni d'étagères et de tiroirs, et une large tablette s'encastrait sous une grande fenêtre, à l'autre bout de la dépense.

Elle alla y déposer le panier de Maman et l'ouvrit ; il y avait une miche du bon pain de Maman, une boule de beurre et ce qui restait du gâteau de noce. Elle laissa le tout sur la tablette pendant qu'elle examinait sa nouvelle dépense.

Les étagères couvraient toute la longueur du mur, du plafond jusqu'à mi-hauteur. Celles du haut étaient vides, mais sur la plus basse étaient posées une lampe en verre, les assiettes d'Almanzo et plusieurs jattes, dont deux étaient emplies de lait. Au bout du rayon, juste au-dessus du coin de la tablette de la fenêtre étaient rangées quelques boîtes à épices.

Tout le bas du mur était pris par des tiroirs de dimensions différentes. Juste sous les épices, se trouvaient deux tiroirs plutôt étroits; Laura découvrit que l'un était presque rempli de sucre blanc et l'autre, de sucre brun. Comme c'était commode!

Venaient ensuite un tiroir plus profond, contenant du gruau, et deux autres, plus petits, avec de la farine au son et de la farine de maïs. On pouvait se tenir devant cette tablette et mélanger n'importe quels ingrédients sans avoir à bouger d'un pas, en ayant devant soi, au-delà de la fenêtre, l'immense ciel bleu et les petits arbres feuillus.

Le linge de maison, essuie-mains, serviettes à thé, deux nappes et quelques serviettes, était rangé dans deux autres tiroirs, et les cuillers, couteaux et fourchettes dans un troisième, assez plat.

Il y avait, en dessous, la place pour une haute baratte en grès et sa palette, et un espace libre où seraient déposées les choses à venir.

Dans un large tiroir de la rangée du bas, il n'y

avait qu'un croûton de pain et la moitié d'un pâté. Laura y mit la miche de pain et le gâteau, puis elle coupa un morceau qu'elle plaça sur une petite assiette, à côté du pain, et referma le tiroir.

Elle devina, en voyant l'anneau de fer fixé au plancher, qu'il y avait une trappe. Elle le redressa et tira; la porte se souleva et vint s'appuyer contre le mur à l'opposé des étagères. L'ouverture donnait accès par un escalier à la cave.

Après avoir protégé comme il faut la boule de beurre, Laura la descendit dans la cave fraîche et sombre et la déposa sur une étagère suspendue au plafond. Elle perçut un bruit de pas au-dessus d'elle et entendit Almanzo l'appeler comme elle remontait.

— Je vous croyais perdue dans cette grande maison!

— J'étais en train de mettre le beurre à la cave, pour le garder au frais, répondit Laura.

— Votre dépense vous plaît? demanda-t-il gentiment.

— Oh, oui.

Et elle songea à toutes les heures qu'il avait dû passer à travailler pour installer toutes ces étagères, pour fabriquer et ajuster ces nombreux tiroirs.

— Alors allons voir le petit poulain de Lady,

devenu grand. Je veux que vous voyiez les chevaux dans leurs stalles et la place que j'ai réservée à Fawn. En ce moment elle est dehors, à l'attache, en train de brouter, hors de portée des jeunes arbres toutefois.

Almanzo lui montra le chemin, traversant l'appentis pour gagner l'extérieur.

Ils explorèrent l'écurie qui s'étendait en longueur et la cour de ferme, au-delà. Almanzo lui montra les meules de foin neuf, au nord, qui serviraient à abriter l'écurie et la cour, quand viendraient les vents d'hiver. Laura caressa les chevaux et le poulain, tandis que Shep lui emboîtait le pas. Ils allèrent regarder les petits érables, les négundos, les saules et les peupliers.

L'après-midi passa en un clin d'œil. Il était temps de faire les corvées et de préparer le dîner.

— Inutile de faire du feu, lui suggéra Almanzo. Vous n'avez qu'à mettre sur la table le pain et le beurre que votre mère nous a donnés; je vais traire Fawn, et comme ça, nous aurons du pain et du lait nouveau pour notre dîner.

— Et du gâteau, lui rappela Laura.

Quand ils eurent dîné et lavé les quelques assiettes, tous deux s'assirent sur le seuil de la porte comme le soir tombait. Ils entendirent Prince souffler longuement : prouou! tandis qu'il se couchait sur son lit de paille propre, dans l'écurie. Ils apercevaient au loin la

silhouette de Fawn allongée sur l'herbe, où elle se reposait tout en ruminant. Shep était étendu à leurs pieds, Shep qui était déjà à moitié le chien de Laura.

Laura se sentait le cœur empli de bonheur. Elle savait qu'elle n'aurait jamais besoin d'avoir la nostalgie de l'ancienne maison. Celle-ci était si proche qu'elle pourrait y aller, aussi souvent qu'elle le voudrait, tandis qu'Almanzo et elle construiraient un nouveau foyer dans leur propre petite maison.

Tout ceci était le leur, leurs propres chevaux, leur propre vache, leur propre concession. Les innombrables feuilles de leurs petits arbres bruissaient doucement sous le souffle léger de la brise.

Les dernières lueurs du crépuscule s'estompèrent à mesure que pointaient les étoiles. La lune se leva et naviga au haut du ciel, inondant la prairie de sa lumière argentée. Les vents qui, tout ce jour d'été durant, avaient murmuré au-dessus des herbes, reposaient à présent, et une paix infinie planait sur la terre noyée de lune.

— C'est une nuit merveilleuse, dit Almanzo.

— C'est un monde merveilleux, répondit Laura.

En elle monta le souvenir de la voix du violon de Papa et l'écho d'un chant.

« *Les belles années s'écoulent,*
Ces heureuses et belles années. »

TABLE DES MATIÈRES

Achevé d'imprimer le 11 janvier 1982
sur presse CAMERON
dans les ateliers de la S.E.P.C.
à Saint-Amand-Montrond (Cher)

Dépôt légal : 4ᵉ trimestre 1979.
N° d'Édition : 11166. N° d'Impression : 1771.